# 水晶内制度

笙野頼子

etc.books

# 水晶内制度

# 1　撃ちてしやまん・撃滅してしまえ

私はどうやら外国にいるようだ。それなのに聞こえて来るものは日本語ばかりである。治療を受けている。一応病名も判っていたはずだ。でも今咄嗟には思い出せない。そもそも判らない事が沢山ある。例えば私は、旅先で病に倒れたのか病を押して外国に辿りついたのか、何よりも自分が誰なのかが、もうひとつ判らない。

人の考えやした事がおのれの考えやした事の中に随分、混じっているようだ。感じた覚えのない感情もどんどん入ってくる。自己像の認識もぐらぐら変わっている。要は、クルってしまっている。

その上耳元で絶えず妙な声が聞こえる。幻聴というやつか自分の考えが声になっているのか。ところがその自分の声というのがどの声なのかもう判定が付かないのだ。あらゆる感覚や思考に他人のが随分混入しているのだ。つまり私は完全に混乱しているのだ。そう、この姿をもしも前の世界の人々が見たら、きっとヒステリーと言うだろうと思う。無論、――。

前の世界の「人々」というのは男性という意味だ。そういう私の性別は女性である。つまり、前の世界で、私は「人」であった事なんか一度もないはずなのだから。いや、でも確か人権はあったはずで、安全も水も衣食住も、――。

おや！

でも人権があって「人」でないとは、それは矛盾してはいないだろうか。一体どういう事だ。女が「人」ではないとは。

おお！

そうだ、でもさっき誰かが私に教えたのだしかも具体的に。例えばお前はこのようにして「人」ではなかった、と。ああ、今も教える。

「なるほど安全と衣食住か、前の国でか」と、「だがそもそも生命は保護されてもお前は人ではなかった」と、「お前の魂は総て収奪されるか、黙殺された」と、「その上お前はそこにいない事にされ見えない事にされた」と、――そう、その誰かがいちいち、でも、え、だから誰かとは誰だ――。

その上「前の国」とは、「前の国」とは、――それは一体どういう意味なのだ。そう「前の国」の「男」だって。ああそう言えば、なにしろ連中と来たら、いつだって喜んですぐにあげつらうのだ。例えばほら、笑っている。非常に甲高い声の「男」が、笑う。その国で「人」として承認されているが故に、それ故に黙殺されぬ魂を持った存在が笑う。

――はははははは、はっ。

――いほつみすまるの、とめがとけ、て。

――はははははは、はっ。

――たかみむすびのかみの、ゆめがわれ、て。

笑うばかりではない。人の事を喋っている。

誰の声だろう。

甲高くて言いっぱなしで威張っていて、人の思惑なんか一切無視した声。でも男の声だろうか、違う。女子校の中で喋る女同士の地声だ。それの年取ったやつ。ああ、いらいらするむかむかする。げっそりする。

――はははははは、はっ。出ましたね、今。いらいらにむかむか。

――典型だ、見事、ヒステリーそのもの、まさに更年期のようだ、ああ、ヒステリー、ヒステリー、快方に向いました。ヒステリー、不穏になった上でふいにヒステリーとは。

――はははははは、は。

――まったくね、ヒステリーというのは、これはもうね、ここで生きる上に不可欠というか、ないと難しいからね、ははははははは。

――はははははははは。

言いっぱなしではあるが幸福そのものの声達。

自分の頭の中に違う考えが入ってくる。或いは違う声が、私と違うものが私に流れ込む。いや、そういう区別した言い方に全部もう狂いが生じていて。つまりそのように世界が全部、狂って光っている。その上あっという間に――。

うっとうめくと部屋全体が発光納豆だ。光の中にいる。投光機のタマの中の虫のようだ。全身が熱く何か言わずにいられない。汗が粘って感覚が言葉に縋り付かずにはいられないせいだろうか。何か考えずにいられない上に黙っていられない。だが私は本当に喋っているのだろうか。考えているのだろうか。ウタっているのだろうか。意志を、ハタラカせているのだろうか。

――腕には点滴を鼻には酸素チューブを。皮膚全部に虫を尿道にカテーテルを。頭に紙のおむつ脳に乾いたバッタ。それは頭の内側から外に突き出したピンで止められている。

腸にイチゴ煮が回しかけられている。点滴の途中に目盛りの入ったキーボードのような機械がある、髪より細い管がそのあたりから出ている。モルヒネとは思えない・だって痛いから、そして定期的に不快や悲しみと恐れがこみ上げてきて、始終叫ぶから。怒り全体に生クリームをかけられて鯉がクリームだけをぱくぱく食っている。それを思うと怒りがまた悲鳴をあげ、怒りそのものが私と別の人間になって、勝手にまた痛いと叫び始める。

しかもあの鯉は呼吸不全の印。あの鯉がでかく白くなれば自分は死ぬ。いや、――。

あれは鯉じゃないよく見るとドジョウだ。真っ白の巨大なアロワナ風に見えるがねばねばしたくだらないただの変形ドジョウだ。ここは神域だというのに・なんという事だ。と怒っているとふいに、巫女が私の体に全部乗って緋の袴で視界が隠されてしまい、目が見えなくなった、というか目に何か掛かっているのだった。あるいは縫い合わされたのか——。

さらに、体中の痛いところに色が流れ込んだ。うわあうわあふええ駄目だ駄目だ、そもそも「神域」なんて誰が教えたのだ誰が決めたのだ。

——さああね、自分で言ってるだけなんじゃないんですかあ。

おや、馬鹿にされた。私はヒステリーを起こしているのだろうか。

瞼をぱくぱくさせると袋のような皺のようなものが沢山あって異様に痒い、痒い。うわあうわあ。ヒステリーだ。ほらまた、——。

——ははははははははは。

——はははははははははは。

頭の中に次々と声が入って来て、数人で人を笑い者にしている。祝い事のように晴れやかな声で。人のクルうのを叫ぶのをつまり、——。

——はははははははは。

——こいつらが来るたびに私は思うんだな、男女平等なんて誰が考えたのだかはははははははは。

——歴史浅いすよね、男、女、対等。

歴史？　そしてここにいるのはただ、クルう、私？

このクルってユく私。あるべき世界からずれてはみ出て、のけものになって追われて零れて行くような——私の状況を、彼らは笑っている。言祝いでいる。違う呪っている。それは例えば——。

葬式の時に人が死んだので喜んで餅蒔きをしてしまうようなものだ、餅蒔きが葬式、それじゃ結婚式は逆さ屛風だ！　おめでとう！　泣け、泣け。祝いが呪いになり、呪いが祝いになるから、ここがそうだから。違う、違う。呪う祝い事だ。呪いを祝う世界だ。

なんという事だ、しかし——。

その世界はなかなか快適で私にとっては都合のいい事が次々と起こっているらしい。私は、なぜかそれを知っている。

濁った水晶のようにその都合のいい影が朦朧と動いている。そこでは私を不快にさせるものの数が厳しく制限され、雨のかわりに酒が、泥石の代わりにビーズが降っていて、家々の窓には巨大な亀と発狂した女が張りつき、零下五度の日にも南方の音楽が鳴り続けている。そこには「きれいな男の子達」が沢山いる。とてもおとなしく殆ど動かない。積もるビーズの中に埋もれて嫌な奴は、全部窒息死して行く。それでここは一体どなたの天国なのだろうか。

ああ、そうか——。

私はこのクニに亡命したのだそうだ。そして美しいパートナーと最高の執筆環境と名誉ある国家的任務を与えられ生涯尊敬され大切にされる——だけどその代わりとまた誰か言っている。そもそもそんな事誰から聞いたのだ。

えっ、――――――――誰が作家なんだ私は違う。それに今日はまだあの趣味の日課を、猫を苛め殺すという事をしてない。そう言えばダイエットもいつしか止めている。

私に、悲しみがこみ上げる。

おや！

でもダイエットと猫虐待のふたつながら、私が一度もした事のない行為ではないか。え、では、私は誰なのか。


**うわーっ。**

誰が猫を殺すんだ。何がダイエットか。でも私は美人だ。

**うわーっ。**


私が美人だって？　それも嘘だ。でも、――。

「誰がニャン彦ちゃんを殺しますかっ！　許しませんっ！　誰が誰がっ！」、と一度も見た事のないブスデブが泣きながら叫んでいる。でもニャン彦というのは私の五匹目の猫だ。違う。

誰かが私の娘を殺しに来るのだ尻尾があるかもしれないが人間の子だ。人間の子。不倫の子だ。

えっ、猫だけど不倫の子、不倫ではないけど人間の子。どっちなんだ一体。

少し悩んだ途端に気持ち良くなって、頭の中で海っぽいものがたぷたぷした。見えないはずなのに窓の外に海。否。ブスは追い詰められて泣いている、被害妄想のようになって。

――はあん、被害妄想、ナイスですねー。はははははは。

――いやあナイスとはお古い！

――古典派でね、ふふんふふん。

ここに来るまでに海と言われて見た車窓に、延々と掛かっていた灰色のカバー。顎の外れた若くおとなしい案内役、川が二本、でも見えない。海が光る。でも見えない。太平洋の色だ。でも見えない。ああっここまでは一体誰の記憶なんだ。不明。海の見える神殿。漸くそれだけが見えた。

だが漸く見えてそれはあっという間に――輝きに変わり、つまりは右の耳から光と音と色が瞬時にして湧き、しかもそれは石礫のように私の過去を責めたて始めたのでそこで、――痛い痛い痛い記憶、景色、言葉が湧き神殿を隠したのだった。そしてそれはああ、湧きすぎるぞ右耳からそれは、うわあうわあうううう、右耳から。

その右耳が、こう言っている。「う、れ、うが、う、れ、うが、うあ、れ、が」。

右耳の奥では人々が映画を撮っている。その耳のもっと奥に、――。

ああ、見付けた！　ここにあったのか、神殿が光っている。

灰色の神殿から金色が零れている。セットなのか、ロケに来ているのか。メガホンが言う。女の監督の声で。「男」のような声で。

――あれがわが国の第一の財源、同時にまたこのウラミズモの根幹ともなる、ウラミアマ原発、です。

なんだ、そうだったのか。ああはいはい、判っている。ウラミズモは裏水雲、ウラミアマは裏水海女、でもどうして判るのだ。誰が教えた。そうか教えるか、でも何も知りたくない。でも教えられてしまう。

――テキストをお持ちの永住希望の方。

「はい」、「はい」、「はい」。誰の声であろう。

――それは観光客用のものですので何のお役にも立ちません。外国の汚れた思想から侵犯されぬようただちにお捨て下さい。

「はい」、「はい」、「はい」。だから誰の声だ。

――立入り禁止のこの聖地はわがウラミズモ女王国の主なる財源、原発立国と言われる所以であります。ご存じのように神殿には偶像はありません。偶像は必ず各家庭でお持ちください。宗教はひとり一神教これだけはお守りくださいませ。但しお祭りする神は必ず国家神ミーナ・イーザの分魂であるように。外見はそのコピーであるように。私達は人間の王を持たず人形の女王を持ちこの女王以外の女の人形を禁ずる事で、――。

国家的呪術的強制力により国家理念を国民ひとりひとりの体感に叩き込む事で――。

ああ神話のない今までを耐えて来たのです。しかしおお今こそ。

――しっ、黙れそれは伏せておく。

どういう意味なのだ。

**うわーっ。**

「誰が私の子供の猫を殺しますかっ、っ」、と私は叫ぶ。なんだ自分で叫んだという事がやっと判った。それでは私は今から子供を産みます・本来の姿に戻って産む。でもそれじゃ私は誰だ。私は性交してないのにいつまた子が出来た。

——はははははははははは、性交してないと子供が出来ないんだって。

何がおかしいのだ。

——はーあ、海の音がしてますな、この患者さん、……頭の中にざあざあ。これはポリネシア産ですかな。

なぜだろう患者さんという言葉の後に異様な沈黙が。そして、——。

ぽりねしあのしんわ、と表紙に書かれた絵本が一瞬、女の子がふたり、赤ん坊がひとり。

——生め、生め、生め、生め。

急に怯えたように大声で命令が出る。でも私に生め、と言っているのだろうか。ここまで真剣な声を聞いた事がない。それに私の体では——。

生め、と声は言うがうんこしか生まれない。ともかく変だ。その他にはここのナースが全部ワニなのが変だ。看護学校にワニしか入れないのだ。なおかつワニでもどことなくサメっぽいワニだ。私の足だってもうワニになっている。だけどサメっぽいワニだから足っぽくない足だ。でもそういう体から出てくる子供はどんなんだろう。

病院の天井が葦簾《よしず》張りになっている。海の光。でも見えない。夜の電飾、でも見えない。潮が満ちてくる。ああ見えない。足元の水の色が絶対に見えない。葦簾張りの天井を蹴散らして私は体長十メートルのウロコのあるものになって苦しんでいる。違う海水浴じゃあるまいに葦簾じゃない、でもよく見ようとすると黒っぽい鳥の羽のようなものが空をぎちぎち塞いで、ああ半分暗い。黒い鳥の羽根が屋根に被さっていて、暗い、暗い。

子供は欲しかったのか。――要らない。――産みたくなかったのか。――いや、産みたい。

――妊娠ってどんなのか知っているか。――知らない。

性交ってどうするのか。知らなかった。今も知らない。なぜならボクは「本当は」男でも女でもなかったから。でも四十五歳になってやっと映画で見た。人間は増える時腰が動くらしい。男が動くのだ。そこだけが機械になっているらしい。絵で見たって判らない。男性文学には男性の知りたい事しか書いてないし、女が書いたってその殆どは前の国では黙殺されたり男性文学のコードで評価され縛られていたのだし、やれやれでも長年の疑問一気に氷解。おや、――。

でもどういう意味だ。男性文学という言葉は私が日本から持ってきた辞書にはない。じゃあ誰が教えたんだ。え、日本から、もってきた、それは一体。

ふんそれでは世界中の動く腰をライフルで撃ちたいのか。ところがしたくない。どうでもいいのだ。

それに撃つと銃口がヨゴれてしまうから。だったらば例えばまあ子供を育てたいか。要らない。生んで三秒で飽きて捨てたい。だって「パクパク」という擬態語を使ってまで自分の子供の食欲なんか描写したくないから。「ウチの子が」、「食べます」、知らない、お前の子をワニが食べる。私の子は自分の体に縫い付けておいて自分より背が延びたら殺してしまう。いいやどっちにしろ産みたくない。だってボクは本当は男だから。

ボクという言葉を女のこの体の声帯から発する事を一生したくないからボクは黙った。喋る代わりに書いた。それじゃボクは男か。

**うわーっ。**

——当国は人口百四十二万人、国土六千九十三平方キロメートル、国民総生産日本円換算で七兆八千六百八十一億円、数字は昨年度の、——。

いきなり国歌が流れる。国歌はクニウタと読むコッカではない。

クニウタが流れている。だけどただ聞こえないだけだ。

——今を去る事三十年前、国歌、国歌、国歌、国歌斉唱。

国歌だ、聞こえない。アナウンス、聞こえる。

——ご覧くださいませ新国民及び国民候補生の皆様、私達はこのようにレズビアンフェミニズム分離派を詐称し、嘘を付き、心の美しい正しいフェミニストの人々を騙し、多くの資金を騙り取って、親切な市民運動家全員を地獄にたたき落とし、この地に女性だけの政治的に正しくない最低のコロニーを建設致しました。私達ウラミズモは盛大なる男性社会への悪意を以て、あの馬鹿くさくかったるくトロい、事なかれ男社会の連中には到底想像も及ばぬやり方で、陰険残忍執拗を極めながらも、あらゆる事を全部信じられない速さで遂行したのでした。

六十年前、どこから見てもバービー、リカちゃん人形でしかない巨大プラスチックの偶像がある日、近辺一の土地持ち一家惨殺事件の後に、その持ち山の街道に面した大木にいきなりくくりつけられて出現した、死月死日死刻、それが私達の建国記念日でした。そしてその後数年ばかり、この夏は涼しく、冬は零下五度の続く納豆と野菜と温泉の地クサレアマに、私達は無欲で操正しい尼僧の宗教団体をゲリラ的に設立しただけという演技を続けました。しかし——。

農業牧畜を営み地母神を祀り、尼僧のように生きて見せたそのたった数年の間にさえ、現ウラミズモ、前ウラミズモ国家制作実行委員会は、その時点ですでに政府との裏取引を開始していました。新しい村ごっこに男性文化人達が腹を抱えて笑っている間、そして最高学府に号令する学者フェミニスト達がその低レベルに苦笑している間、土地を占拠された地主達は故意に抑圧され、わが「あさはかなレズビアンコロニー」の強制撤去はだらだらとわざと遅延されたのです。それは決して官僚が怠けもので頭が硬いからではなく、欲ぼけで目先だけを読んでいたからです。そして——。

地主達が実力行使のため思想団体と組もうとした時点で、旧原発は既にウラミズモ国民により占拠されており、同時に新原発は試運転を開始したのでした。原発の実質的管理権と、事故時の責任はこの国が負いました。無論、負った責任なんて知った事じゃないのです。そもそもあの遠い昔、二十世紀フェミニズム百花斉放の時代のすべての派閥から、私達は忌避され、蔑まれ、憐れまれ、遠ざけられ、つまり――。

**お間違えなきように私達は決して本物の同性愛者でもなければ、人形愛者でもなく、ただ表現形としてそれを選択した立派なヘテロばっかりの演技集団、マスゲーム国家、そこに自由参加した嫌味好きの原発保有国国民にすぎないのです。**

え、原発だって、原発、原発、あの原発の事か。それにしては何か発音が違うような。それで、あれは――。

絶叫。昔の録音が再生される。フラッシュの音やガラスを割る音。警官の声。でも乱闘の暴徒の凄まじい罵声はやらせ臭い。

――違います！　違います！　ウチ関係ありません！　違う！　違う！　違う！　助けて！

――はははははは。

笑いは左耳の方。次は右から。

――あの人たちはきったないフェミニストです！　私達と違います！　違う！　きったない

んです！　連中が同性愛者だって大嘘です！　嘘つき！　嘘つき！　きったない！　きったない！　きーっ、た、なーい。

左耳の声は右耳からの悲鳴に随分冷たい。

――はははははは、いいねえとばっちり、気の毒だ、いやー何度聞いてもあの真面目なフェミニスト共の壊滅する無残と来たら、はははははは、は。溜飲が下がる。

――しかしもう聞き飽きたよ、新入りが来るたびにこれだからね。

――ふん、観光地に行くと別なのが聞けますよ、建国以来男子出生率は自然に減りましたって。

――国家思想で男女の産みわけが出来るものかなあ。

――男性は珍しいので保護されますだったか、つまりここは男性の天国でもあります、だと、はーっはっはっはっはっは。

――いやー。

――国内でマスコミの決して報道しないフェミニズム過激派の勢力が実は海外ではきちんと承認され、世界的にひとつの反権力として認められている事を、また決して無視出来ないものにそれが育ちつつある事を、政府は恐れるまでもなく、ただその事実に対して機械的に対応したのでした。つまり今まで戦後の日本男子がして来たように、例えば、――真面目な女の蜂起、ブスな女の反発、色気のない女の決起、等を、ずーっと無視しながらさーっと潰すという得意の方法です。弾圧の理由を聞かれるとただにたにた笑い、二枚舌を使い、ありとあらゆるデマを大声で流し反論を黙殺し、被害者面さえし、何もなかった事にするという茶番や談合を重ね、そうして、ただなんとなく、意識もせず、悪意もなくただもう機械のように、日本政府はフェミニズム勢力をぶっッブしました。もちろんそれに協力したのは私達物分かりのいい女だったのです。自分達の独立と引換えにね、いやー、なんでもしましたよ、わーっはっはっはっは。

こうして我が国は発足しました。女だけが人間である私達の国、それさえ手に入れれば他の女性勢力は別にどうなっても良かったのでした。そもそも私達は女のフェミニストをまねようとせず、一番マッチョなその癖卑怯で幼稚な男達のするようにしたのですから。つまり、――。

もしも女が人間になろうとすれば、男女手をたずさえなどと言っているより女尊男卑の方がてっとりばやいのです。女がもし人間であろうとすればまず男を見えなくし、消費し、まったくいない存在にしてしまう事が必要と結論したのでした。そう、人類史上で男を「人」にした方法はまさにその逆だけ。男はあらゆるやり方で「人間」をやって来ていても結局はただひとつの方法だけを使って来たのですから。つまり、「女」を黙殺しそこにいない事にし、結局はただひと意識もなしに、ただ女の魂をずーっとなんとなく殺すという方法だけを使って「人間」になって来ていたからです。

素直な私達は結局、「男」に学ぶ事にしたのでしょうか。いいえ、「男」の発想を収奪してまったく逆のものにしてしまう汚い乗っ取り行為、しかもそこに男の功績がまったく働いていないという完全黙殺をする鉄面皮なばっくれ方。そういう「男特有の」楽しい行為を選んだのでした。

こうしていつも和やかな笑いが絶えぬ、男の不利益の前には全員一致、しかもその事を悪意とすら意識しなくてもいい「みんなにとって最もいい国家」ウラミズモは発足したのでした。

ところでこの独立は日本政府にとっても当面は有利な事でした。なにしろ「面倒なものは全部女に押し付ける」という明治以前から続くコンセプトで外交を執り行う事が出来ると最初は思ったからです。自分の国の危険施設を受け入れてくれる隣国、なかなか都合のいい女達ではあります。そもそも独立国の主権で受け入れた原発、日本のどこからも苦情は出せない。軍備は旧日本国自衛隊で冷遇されていた女性自衛官を基地に派遣、リストラ・左遷基地と呼ばれるそれは原発周辺の警備にも一役買っています。

大使館、主要企業当国支社も全て、日本の男社会が出来れば叩き出したい、有能で権利意識の強い真面目な女性を、大使や支社長として左遷する目的で、他国が設置したものばかりなのです。彼らはこの転勤を「女流枠」と呼び大いに活用しました。そして左遷された我慢強い、いえそれまで我慢強かった女達は、我がウラミズモを目前にし実感した途端にいきなりぶち切れ、今までの自分は一体なんだったのかとパニックを起こし、その上うっへっへっへっへ、どいつもこいつも我が国名物の、男性保護牧場にオボれ、すべてこの国に有利に事を運んでくれるようになってしまいます。別に自称フェミニストでもなくレズビアンでもない、ただのむかつく女性達に支えられた国、それがウラミズモです。

当国はていのいい植民地と言われながら、しかし地下シェルターの完成とともに、またそもそも増えて産む事を目的とせず一世代で滅ぶ事を目的とする、使い捨て国家の捨て身の怖さとともに、たった六十年の間に使えるやらどうかも判らない突貫工事の地下シェルターを武器に、原発を凶器・伝家の宝刀と化し、たちまち旧本国を脅迫するためのごろつき国家を目指そうとしたのでした。まあ若干の計算違いはありましたがね。

さて今では、旧本国内のフェミニズム勢力は全て私達と思想を同じくするものという偏見の元に壊滅させられました。政府の原発予算ばかりか私達はフェミニズム撲滅対策予算も全て吸い上げています。旧本国ではフェミニストは地下に潜伏し、隠れた過激派が今でも一万人、壊滅時の弾圧が彼女らを思想強固にし、またフェミニズムと言えばもうこのきったないフェミニズムしか現存せぬ状態で、もともとは私達を憎み忌避したその一万人のうち大半は旧本国で私達のシンパとなりました。つまりなんと言っても実際にフェミニズムと名の付く、たとえそれとは似ても似つかなくとも、それらしい国家を現実に作り上げたのは私達だけだったからです。そういうシンパの多くは要するに私達とは何の関係もない真面目で追い詰められた人々でした。理想を追って私達に騙され、インチキ宗教にやられた人のようにボロボロになり、既に発狂し、中には私達の国を自分達の理想の国と一致したものだという幻覚の中で暮らす人もいます。また強迫観念的に理想の国家があると信じたがっています。またその理想なしには生きられなくなっています。というわけで、彼女らの永住が許可されたケースは殆どありません。理由は自明です。

永住希望者は様々ですが本当の同性愛者、人形愛者は殆どおらず、自覚的に強いて偽同性愛、なんちゃって人形愛を選択した人々であると国内では既に調査済みです。移住者の方は例えば「もてない女の国」、「欲求不満の女人国実は男の天国」というような旧本国での偏見俗説にまどわされずどうか安心してお暮らしください。本物の同性愛者はどうかとっとと国外に退去してください。

右の耳からグラフが流れ込む。

――我が国は移民の国。希望者の性別はほぼ女のみです。無視していい確率で男性の希望者は出ますが原則として一切受け入れません。女性への性転換者のみは特例審査します。また移民の職業は様々ですが自営業者、技術者、芸術家の活躍が目立ちます。新天地での生計を考えた結果と言えるでしょう。公務員、会社員の希望者は少数だが熱烈です。そして過去に希望者の一例もなかった職業は、学者フェミニストです。理由は自明です。

さて、今私達ウラミズモの民は他国に土地を貸与し保障を受け、彼らの費用で建てたあの発電所で生産した電気を売って国家を維持しています。その上さらなるありがたーい日本男子様のご配慮によって、私共の国の電気代だけは原価の何十分の一かに設定されています、うふっ・当然。この価格差も主なる財源から派生するもので、独立に際しては無論原発が第一絶対の条件でした。そうです廃炉に莫大な費用がかかり危険の生ずるあの原発、その費用ももちろん既に借款し尽くしています。では実際に廃炉する時はどうするのかしら、でもそんな事は私達の知った事ではありません、はっはー。

グラフが消えると左からまた。

――はははははは、教育教育。歴史歴史。

――私などはもう諦めていますよ。娘が今度地下シェルター入りしますが。

――いやあ優秀だやはり一致派の子供にはかないませんなあ。子供は両親が育てるのが一番ですなあ。分離は貧乏だし。

――はははははは、子供は両親、そうとも、子供にはきちんとした一対の母親が必要なんですねえ。女ひとりでは浮世は渡れない。やはり女二人でないと。

――でも一致派は浮気しますぞ。やれやれ教育ママが弁当も宿題も二人前かけて目をつり上げて育てた子供なんぞ。

――げほげほ、そうそう分離派は気楽ですしね、不要な亭主は押入れに放り込むかゴミの日に出せばいい。誰も法的手続きなんか守りません。最初っから。

――ほほうそこまでひどいですか。

――しかしうちは女一人、仮の父親で頼りにならないからとしっかりした子になった。学校の成績はともかくガキ大将でして。

右の耳から絵、理想的な家庭の各々のパターン。ひとつは二人ともタキシード姿の新婦新婦の結婚式、ひとり一体ずつのミーナ・イーザ眷属の像をひとつの神棚に納めるもの。神棚はどう見てもポップなリカちゃんハウスであるが、それはクサ○ヤ○イのデザインだという説明が入る。だが本当かどうかは判ったものではない。

小柄な新婦はグレーの華奢なタキシードを着て、イラン系か色が浅黒く美少年にしか見えない。とはいえこの美しさを美少年のようと言えば正しいフェミニストは激怒するかもしれない。もう一方の医者だという大柄な太った新婦は、先の丸い鼻で眼鏡をかけているが黒のタキシードは似合い、白人の混血らしく足が長いのでなかなかダンディに見える。太った新婦の方は少しはげている。いきなりコメントが入る。

――女性のはげを差別する事は犯罪です。女性ははげてこそ一人前なのです。

人形愛家庭の理想はというと暖炉があり立派な一軒家で子供がふたり、ひとりは鎖で暖炉に繫がれた少年人形の膝に縋《すが》っており、もうひとりは小さい、ＧＩジョーのような人形を鷲摑みにして暖炉にごんごんぶち当てている。ふたりとも女の子。母親は子供をせき立てて預けに出るところ。公務員らしい。

――分離派の正常者は時間に余裕のある職業を選ぶ事が多いのです。分離派から生まれた子が必ずしも分離派になるとは限りません。子供のセクシュアリティは十八歳を境に決められます。決定されたものは例外的な場合を除いて生涯不変です。但し人形を変え、パートナーを変える事は何度でも可です。またセクシュアリティの変更の例外というのは四十を過ぎて、自分が一致派だと判ったような場合で、手続きは訴訟の形式で行います。

――我が国では子供の七十パーセントは偽のレズビアンマザーつまり一致派のカップルから、残る三十パーセントは単身母と人形の仮父から生まれ、一般にレズビアンマザーの子供の方が高学歴になると言われておりますが、これは二人で稼いでふたりで育てるからという事であって決して本人の努力という事ではありません。ちなみに当国書記長は人形婚者の単身母から生まれ本人も分離派です。さてもうひとつ、子供を持たない人形婚者、または単なる単身者を攻撃する事は立派な犯罪です。不妊者差別は最悪の場合、地獄送りの刑、つまりは国外退去ですのでお含みおき下さい。

それからお間違えのないように最も大切な事です。ここでの分離派とはレズビアンフェミニズム分離主義者とは違うものなのだと。つまりアメリカで七〇年代に発し女性だけのコロニーを目指したあのセパラティスト、分離主義者の事では決してありません。この紛らわしい名称は無論政府との裏取引の際に私達が他派閥の足を引っ張る目的で提案したものです。正しいフェミニズムを陥れるために、私達はセパラティスト、分離主義者とまぎらわしい分離派という名を、偽の人形愛者と男性保護牧場好きの変態に与えたのです。

分離派正常者が人形愛者です。分離派異常者が牧場愛好家です。但し下世話に変態ではない人間はいないと言われているように、多くの分離派には軽い保護牧場指向が現れるものです。つまりこのように区別してください。我が国では建前上の性と恋愛とが一致したもの、つまり女と女のカップルまたはカップル予定者が一致派です。そして分離派とは我が国においては、やはり建前上の性と恋愛とが分離したものです。

ああいらいらする。どうしてこの連中はいちいち我が国と、耳障りな程に言うのだろう。その癖その我が国という言葉が他人事に聞こえる程、何かカルいのだ。得意そうな割りには。

――さて、ウラミズモのその他の財源はご存じのように、旧本国に百万以上いる、決して当国のイデオロギーに賛同しているわけではなく、ただ批判票のように、何か旧本国体制にむかつく度にここへ遊びに来て金を落としていく、女性観光客と彼女らのカンパで支えられています。他にシンパというよりむしろ当国憎悪者達がそれでも買わずにいられない当国の特産物由来フィギュア、特産物由来アニメ、特産物由来合成写真、特産物由来グッズ、等の著作権料であります。但しこのような特産物輸出は決してGNPの一パーセントをも占める事が出来ず、要は愚民を客にした文化輸出に過ぎないという事です。またこのようなご存じの通りの特産物の生産に貢献した少女、幼女には生涯の特典が与えられます。

この特産物の生産は世界的に禁止されていながら我がウラミズモにおいてのみまったくの無罪。但し特産物貢献者そのものに手を触れたり侵犯したりしたオスは海外からの特例旅行者であっても当国男性保護牧場に保護致します。無論教育更生を目的とはせず、保護後は牧場で余生を送らせます。

特例観光客である男性も当国に不利な行動を取った場合保護牧場に送り、帰国はさせません。処分の可能性もありますので観光で同伴男性をお連れになる時はどうぞご注意を。原則として男性は入れませんので各種手続きを完全に行ってください。他のペットは検疫にのみ注意すれば大丈夫です。

カーナビの地図のような岬の原発、国境に銃、入国性別チェック、言論統制、赤紫緑黄色まっ青、と、――色彩は口の中に流れ込んで最後には全部灰。灰は白い。灰が降る。岬に降る。違うこれは砂浜の色、でも砂浜にしてはここは真っ白だ松が青い、見た事のない色の海が開けている、ふいに、――。

**海に炎。燃え上がる光。太陽の腹皮が。**


いきなり夢の中で何か食わされる。縛られた舌の中にほろほろと豆粒のようなものがあたる。夢の中で聞く。眠っている時だけ口が利けるのだ。味はしない。発酵臭はあるが鼻にもチューブが入っている状態で、何か判らない。

――これは、納豆ですか。

――テンペ、インドネシアの発酵食、今は当国の国民食です。

嘘だ。浜納豆だ。いや、それも違う。ただの乾燥納豆だ。冷蔵庫の中の。

――神話もどうぞ、神話、よろしかったら神話。

――ください。

右の耳から左の耳にかけてきーんと突き抜ける痛みが走る。どっちの耳なのだろうか。景色が入って来るのだからきっと右だ。

神話？　私は砂浜にいる。発狂したように怒りワニの足で砂を掻いて海に帰ろうとしている。

全身に真っ黒な鳥の羽根がまぶされている。浜では酒の壺を並べて酒の神が自死している。歴史に抑圧されたまま排泄の神が、排泄の子供を産み続けている。言葉を司る神と反吐の神が、背と背をくっつけあってアクロバットしている。二柱の神の両足が交互に浮く。人の美しい足と鳥の美しい足だ。人の神と鳥の神は背をくっつけあって、ふたりで組になってとんぼを切っている。意地悪な明治政府がいりもしない神を、土着のカッコいい神のやしろに無理やり押し込んでいる。ヤマト朝廷はイズモのヤシロから、バンドマン性格のええ加減で不良で、すぐ家出する軽快な美少年の神を叩きだして、どん臭い地方首長の面白くもなんともない、田舎のお偉いさんにすげ替えてしまう。やおい的なステキなカップルの神がいるとやっぱり美少年を叩きだして、おとなしくてどん臭い第二夫人的なクラい女の海神を据える。すると――。

病院らしきところでヘッドホンらしきものを掛けた数人の医者が。いや、医者じゃない、というよりウィッチドクターが。それに巫女、評議員と言われている、入国審査官が――。

え、にゅうこくしんさかん、それはどういう意味か。

そのうちの何人かは酩酊している。何人かは酩酊以上の錯乱状態にある。その彼女らがいきなり体から翼や蛇を生やして服を脱ぎはじめる。全員が老人、全員が女。

――ほーら人間にこんな事が出来るものかはははははははははは。

天から来た最も尊い神とただ吐き続ける神が回転するたび、老女は太陽に中指を立て、足元から真っ白の被衣《かづき》を拾って被り海に飛び込む。飛び上がった時にはワニになっている。純白の背びれと翼と、黒の小さい斑もある銀色のワニ。でもワニなのに首がない、ドジョウのように口が細く頭が尖っていて、半分魚のワニ。
排泄の神は言う自分は竜神だと自分は女神だと、自分は南から来て沖に帰り、鬼門に至って聖母子となり海の空に顕現しこれより国を治める。
その地こそはここだと、と、と、と、と、——。

**うわーっ。嫌だ。私の知らない誰かに私はなり始めている。変な妄想の中で。**

その変な妄想の中では私は美人女優でお化粧は撮影のない時でも一日三時間。心はとてもねじ曲がり他人の飼い猫を殺すのが趣味だ。そして男をどんどん踏み台にしてのし上がり演技は大根で時間は守らない。服はその時流行っているブランドだけ。でもとても綺麗だ。そんな妄想上の私に根性はない。ただ無責任で嘘吐き、人に迷惑をかけた時はちゃんと意地を張る。それに激昂して目下に暴力を振るい始めると、私は止まらない。助監督を殴る。付き人を蹴る。自分の弁当にゴキブリの足を入れ、共演者がやったと週刊誌に言いつける。え、でもそれは誰だ。そうかそれが妄想上のつまり「今まで決してなかった」、私なのか。

私はワニか、美人か、なに故に私は生まれるのか、また私が生むのか。私は言葉を吐く。だがその言葉はどれも全部良くない言葉である。悪い言葉が舌からゲロになって宙を舞う嘘を言う、嘘を……。

そのゲロは金属になり剣や農具と化し、嘘は四方に達し地を治める。

――はははははははははは・はははははははははは。

入国前カウンターのところで人が撃ち殺されるのを見た。そこの警備は薄く鉄条網もなく、二重玄関のようにテレビモニターがあって、でも、銃口は向いていた。ここから先に男女平等はないと言う意味の外国語が、違う日本の言葉が、違う外国語が、微妙に違うこの国の特有の「外国の日本語」が、違う音律で違う気合で、並んでいた。

「ここはお笑いの国、人形に意味はなく」、と微笑んで言った入国者の胸から足から手からあっという間に全部血が流れた。蜂の巣という慣用句を想像した時、どういうわけか私の体に一斉に水玉模様程穴が開いて、そこからなんともいえない気持ちのいい痺れが、裏ごし器の上のイモのようにふゅーっと蕩《とろ》け出した。

自動車のパンクよりも落雷よりも大きい、怖い初めて聞いた沢山の音。その音で私がなぜか遠い深い秋の山を思い出している内、死体をオレンジの制服を着て担架をもった女ふたりがさっと運んで行った。その時にここの国民は全員が手をちょっと上に上げるようなふざけた踊りを一斉に踊って、でもそんなものは私は初めて見て、――。

思い出した。いや、そう教え込まれた。違う正確に覚えている。いや、洗脳された。

ああ何もかも違うのにここは私の新しい故郷になる。

国歌が入ってくる。コッカではないのだった。クニウタと言っていた。右の耳からだ。日本のじゃないぞ！

聞こえた！　クニウタだ！　クニウタ！　クニウタよ！

――ウラミズモレキシアサクフイニウマレタクニ。

歴史が浅いのか、ふいに生まれたのか、ここはどこか。そうだ。

――アイムフロムサウスインミッドナイト。

地鳴りしても、軽快な、銅鑼、太鼓、シンバルの群、百年前のポップスのような変な英語、なぜ国歌に英語、どうして、どうして。

――ココハニホンデハナイ、ワタシタチノクニ。

理想の実現したきったない国。うらはらの国。祝う呪いの国。呪う祝いの国。裏切られず達成した願望の成就を、善人を裏切って手に入れたここは女人国。人口百四十二万人、要人用地下シェルターが全土の地下を走る。莫大な財源は旧本国からの「収入」。うるさいアナウンスは観光地の騒ぎのよう。演歌の代わりにタムタム。祝う呪う祝い呪う祝う呪い呪い呪い。

バス停の鉄柱を叩く道を叩く、酒樽を割る、それは女。爆破するぞという意味の「女らしい」踊り。

――はははははははは。

――ほほう呪う祝い事か、作家にしては面白い事を言いますなあ。

――おっと作家だから面白い事を言うのです失礼なっ。

左耳の声ははっきり聞こえるようになると全部嗄れて、感じ悪い。ぎゃーっ、と叫んでやろうとしたら声が出ない。気管切開をされているのだろうか、いやそんなはずはない。

――いや、快調ですなあ、ヒステリー、ヒステリー、ヒステリーだ。あっ、これ聞かれてますかしら。いやあ笑い者だなんて作家は敏感で好きだなあ。

聞かせたくて言っているのか機嫌とってるつもりか、違う、やはり嫌味だ。これでこの連中は国家公務員というが。

――駄目ですよ、好きだなんて、ウカに聞かれたら。

――おや、ウカはもうこの方のパートナーですか。

――いえいえまだ分離派か一致派かも判らないのですよ。

――でも……なんで聞かせるのかなあ、当の本人にこの観察経過をって、入国審査に口を出す権利は希望者にはないのだし。

瞼に何かされている、痒みが少し引いて片目の端から光が入ってくる。でも物の輪郭はまだぎざぎざして、違う輪郭ではなくて目の中にいがいがが入っているようで、光るげじげじも一面に見える。そうだ、ウカ。

ウカって誰だ、でもウカには前に会った。カッコイイ男だった。私よりずっと若い。

――ははははは、男だったというよ、こりゃもう分離に決まった。

――はははははは、ウカは怒りますな。本業はなんですかウカの。仕事を放って志願して来たと言っていたが。また振られますな。

——しかしこういう人材が来るとボランティアの抽選は。

——でも抽選する程いいですか、こんな新参者が。一致の人は作家好きなんですかね。

ひえっという低い声。長い長い沈黙。

——いや、外国人好きなんですよ多分、作家でも国内の作家は駄目だな、外国で作家だというと何か良さそうに思うんだな。

またしても、ひえっ、だがどういう意味か。

——しかし収入はどうなるのかね。

——だからあれですよこの人の仕事というのは例の書換えだ。正史を作るんですよ。観光客用のね。国家神話をね。優遇されるはずです。

——ふっ観光ってこういうところを観光して平気な連中が本を読みますかね。

——ええ、皆さん、ちょっとお尋ねしますがね。

私は小説というものを読みませんのでね、それでこの方が分離だとここで女性文学を書く事になるんですか。それだと女性文学を書くようなマイノリティの方に神話の書換えを任せていいんでしょうかしら。

左耳の中がまたふいに静かになった。何か黙殺のような静けさだった。やがて——。

——うーん、実は私もあまり文学は知らない、分離はだから他者への目が人形に向いている、で、異端というかな、傍流だな、だから女性文学になる。そして一致は人間一般、つまり女性だけを書く事になるからこれはただの普通の大きな、壮大な人間文学という事に。だが神話は一体どちらに入るのかな。

——私達の頃も教科書にありませんでした。

——今だってないでしょう。でも、ほら、審査と診断を両方聞かれてる、やり難いねえ。どうしてこの人だけそういう特例なの。

——普通は誰にだって聞かせないですがね、しかしこの方は作家です。ここからもうわが国の美点を正確に観察して戴かねば。おお、そうそう神話は分離と一致が別れる以前の話ですから、どっちでもないいんですね。

——という事は、いや、男神が失われる以前ならまさに分離派か。

——え、だからその頃は人形はいらなかったんです。男性憎悪はなく、女神オオナンジとウラミズモの巫女達が、加賀の潜戸《くけど》がイズモと対立していた頃の規模の勢力で、旧日本国と対立していたので。

——ああ、また架空神話ですかな。大体作家作家って何が偉いんです。

「げっ」という息の音が一斉に放たれ、それからまたさらにさらに長い沈黙があった。すると先程の声は何か弱気になる。

——だって、CF効果だけの入国にしても小物過ぎるよ。女性文学と普通の文学の違いなんてニホンにはないと言っていたがなあ。

——うーむ何をもって小物とするかという。

――それがですね、あっちの国ではただ単に女が書いたというだけでそれを全部女性文学と呼んでしまうらしい。必要条件と十分条件の違いがない国なんです。

――ほー、ほー、ほー、ほー。

――だから、亡命だけじゃないですよ。神話を正史の形で書ける人材がいないんだな。大体母国に送金させる身内もいないですよこの人。

――おや、体売ってる方じゃなかったんですか。ふうん作家って何をする人なんですか。

度々発生する意味不明の沈黙。その底から少しずつ足音が、やがて――。

足音が喧しい。

――あっ先生、あっ先生っ、はっ、はっ、ははーっ。

――あ、きみ、ちょっと廊下の自動販売機で飲むもの買ってきてね。

――はい。ええと、どれを。

――はっぱだよ、どうして覚えないかね。

左耳の中に何か埋め込まれている。そこから声ががんがん注入されている。何か、朧気に思い出す。そうだそうだ。あいつらだったら私に、何を使うかは判らないのだ。ただでさえ、考えを独り言にして声に出す性癖のある、私は作家だ。その上に薬物で人を喋らせているのか。いつもよりずっと言葉数が多い。黙っていようとするのに舌が乾く程、もう喋るのだ。しかも舌が乾くといきなり小さいハッカアメが乗っけられるのだ。このハッカアメが餓鬼のように食いたくて一層喋ってしまう。ああなんという浅ましい。でもなんという薬なのか。

――それで君はこの後、何を使いますか。

――はっ、それはですね。

――おおっとーぉ。

カシーンと音がして複数の声が三秒外れる。

――ふふ、こういう事は書かれては困りますからな。作家さんだそうだね。

――はっ。

――何かそういったようなものを書く人なのだろうかね。

――はっ、おっしゃる通りです。

――君研修中に睡眠を取ってるようではどうかな。

――はっ。

――男でももう少し頭を使うよ。

――……、……、はっ。

――おや君こんな事で泣くようではねえ。

ああ思い出した。「きったないフェミニズム」がどんなものか。

この国の事と来たら前の国では、いつだっていかがわしいスポーツ新聞や鬼畜雑誌に満載だったはずだ。連中ならどんな危険な薬だって使うはずだ。寿命が縮んでも、体が腐っても、どうだっていいはずだ。何しろあの連中と来たら生きる事に意味があるなんて思ってないと聞いた。

でもそれならどうして私はここに来ているのだろう。

——本日はようこそ、放射能日和の中、よくお越しくださいました。当、ウラミズモ国は一見コロニーかと紛うような小国ではありますが、国家理念それは、国民だけが人間だ、というものであります。また我々は存続を望まないというものです。破滅のために作られた国それがウラミズモです。但し出産について予想外の結果が——。

私達の国の人口は増えはじめています。女同士で暮らしていると子供を作るのです。また仮父といても女の仮子供を作る事を禁じられるのでどうしても生きた女の子を産むしかないのです。それ故分離派の方も子供を産む方を選んでしまいます。当初、二世代で滅ぶと言われたこの国がしかし極端な人口増加に悩む事もないのは、無論生まれる子供の半分が男性だからです。

永住希望者の皆様、何よりもここの人々は男性憎悪より発してレズビアンを偽装的に選んだ人々とその子孫に過ぎないという事をお忘れなきように。また分離派、一致派は受ける保障、年金、シェルター順位等全て異なります。そして中年期以上の方、入国後の指定期間を過ぎてから自分のセクシュアリティを変える事は生涯出来ませんので、ここを、お忘れなきよう。

うわーっ、と私はいつしか激しく泣き始めてしまった。するとなぜか、泣いているのが私で私が誰であるか少しは判るような気がしてきたのだ。しかしそれは「私は自分が誰だか判らないのだ」という悲しみの気持ちと、まったく対等に心の中で押し合っていた。

ひとり看護婦が入ってきて、おやまだこんなものを、と言いながらいきなり髪の毛的チューブの付いている機械を持っていってしまった。それから耳に付いていた軽いいたい洗濯バサミのようなものも外した。すると私は叫びだしてとまらなくなった。点滴の腕を上げようとするとバンドで固定されていた。もう駄目だ！　ここで殺される！　何しろこの国と来たら近代以前のモラルで。

おや、モノがみえる。

病院のような白い壁がある。海は見えない。そこら中に色のない炎がある。目上が目下に何か質問している。私についての観察を試験の解答のように目上に、申し述べている。

――ええ、まず、ヒステリーをヒステリーと未だ呼んでしまっているという問題が。ああっ。

カシーン、と左耳に激しい金属音が入る。

――ふん、駄目だなそれでは、「当事者」は男が本人のあるがままの状態をどう呼ぶかを、自分をヒステリーと呼ぶかどうかについて最初、考えていたのだよ。

――猫を殺す、と自分は美人だと。

――はははははははは、それは正解だね。美人だよ。すごい美人だなあ。

私が美人だと誰かが言っている。してみるとそうなのか。ここの美の基準は何か変なのか。

どうせここはガイコクだし。ガイコクという発音がガイ●チという差別語に似ているという、とてもこじつけ的な嫌悪感がわき上がって来るし。

この国は、日本から別れた国なのだそうだ。別れたのはごく最近、なのに「独自の歴史と文化」を持っているのだという。そんなリアリティのない事でどうするのか、と私は自分の職業上体に染みついてしまった感じ方で思う。リアリティ、そうこの国を私はまだ架空のように感じている。

でもそもそも変だ。いや、急に気分が良くなって来た。

目が一層はっきりと見え、――。

頭の中に南方民謡のらしいゆっくりした太鼓の音が響いて来る。頭痛のせいなのか、ここの雑音なのか。

ふいに、「ウシデークですよ」と誰かが言う。「牛のような大工」の事ですかと私は朧気な江戸っ子弁で質問してみる。すると人々は腹を抱えて笑う。それは「臼太鼓」という文字を当てるらしいのである。でもここは北の国だ。テンペだって嘘だのに。

今夢のように見ているのは若い美しい男、介護士のような恰好をして、腕のいい獣医師が猫に触れるように人の肩に触れている。質問してみる。

――ここは外国ですか。

――ええ、そうです。住みたいですかここに。

――どんな国ですか。

——判っている癖に。

——あ、そうだそうだ、あなたは女の人だ体温も違うそれに。私は発音していた。自分の国の言葉だがもう遠すぎて、それなのに単語は共通だ。文法も同じだ。でも言葉のからくりはもうずれている。

——あなたのような人を、そうだ、ええと、わ、た、し、の、く、に、で、は、を、と、め、の。

——はははははははははは、おとめ、おとめ、はははははははははは。

美しい「男」はまるで賞金を手にしたクイズ正解者のように、うわずった上機嫌で笑い続けている。笑う事で私をここに止める事が出来るかのように、必死で全身で笑っている。こんな事は決して今までなかった事だ。そして私はその男を「描写」しようとして「をとめ」と言っている。こんな事もまた今までには——。

——を、と、め、の、む、な、す、き、と、ら、し、て、を、と、め、の。

乙女の胸鋤取らして。あ、な、た、は、ま、る、で、す、が、る、を、と、め、の、よ、う、だ。

**うわーっ。**

違う。違う。古代の男が若い女のスガルのような腰と平たく広い胸を好んだとしてもその女は男よりはるかに小さく、手も足も頼り無く——。

目の前の女は私より背が高く膝は小さいのに足の筋肉が発達して、それが薄いズボンの上からでも判る。手も足も途中で一回継ぎ足してあるように長く、肩幅は広く、二の腕は隆々とし、胸はぷくりと高く小さく膨れているが、それがとても「男らしい」。ウエストは締まっているが華奢でもない。滑らかに日に焼けてがっしりしているのにバランスがとれている。日本の男のようではない腰、と思い、その後で男ではないのだからとさらに思う。

この人が、ウカ、だ。刈り上げた髪とそった眉毛は滑稽ではない。目は切れ長でやさしい。唇の色は悪く両端がきゅっと上がっている。その唇の下にぎっしり生えている産毛は白人の女性のように伸び放題で濃い。目が血走っている。それでも美しい人。爽やかで力強い。その上に私よりずっと若い。ああ十歳以上。その事に気が付くと何かうしろめたい。しかもとても嬉しい。その理由は判らない。ただこんなに若い、と喜ぶ。でも女は若いと思われている事にすら気が付かない。

さっきの色や痛みはどこに行ってしまったのだろう。ここは白一色だ。左耳の中の声がひどく遠い。でもそれは冷静でまだ私を観察している。

——どうしますかね。

——外国だという認識が発生して来るようなら。

左耳に向かって大声で言ってみる。

——外国だってじゃあどうしてあんたたちは言葉が通じるんだ。ひとり位母国語で何か言ってみろ、そうだ、おかあさん、海、愛している、空、死ぬ、アイウエオ。

答えたのは目の前の若い、美しい、そうかウカという名前の、ええと、「女」だ。

——外国語ですよ、おかあさんは普通子供ひとりにふたり、海は死を讃えて人を安心させる、愛しているのは人形、空は他国のもの、死ぬは滅ぶという事、国家理念です。

ああ、ウカが纏まった事を言うとは珍しい事だ。この人は基本的に単純であまり面倒な言葉を使わない。国に適応し国を誇りに思って、何も喋らないでも生きていられるのだ。

おや、私はウカを知っている。でも誰なのだろう。ああそうか。

ここは、男のいない国だ。

——入国して来ましたねうまく、冷静になっています。常識を得ています。

——ダザイは女のいない国に行きたいと言ったそうですねひゃひゃひゃひゃひゃひゃひゃ。

——いやー、外国文学におくわしい、これはもうマニアですなあ。男の文学なんてうひひ。

すでに私の目は開いていた。華奢な若い愛らしいナース達が一斉に笑った。それはなんとも言えない嫌らしい、意地悪なすけべそうな笑いだった。でも私を笑うのではないのだった。むしろ、一緒になって笑えと姿勢が言っていた。そんなナースに向かって私は気を遣った。つまり声が出せたのだ。現実の世界の中で。

――これは失礼、可笑しいですね、私は、今までバランスをとって生きて来たのに。取り乱したりして。

口だけで冷静さを繕ったつもり、とりあえずしおらしく見せたかった。一緒に笑うよりもっと感じいいはず。が、その言葉で、――。

ナース達の顔が一斉に曇り、険しくなった。それは汚らわしいものを見た「乙女」の表情。ところで彼女らの白衣の露出度は目茶苦茶だ。ダボシャツステテコとしか思えない白衣や、アニメの女戦士のように肌の出ているのもいる。が、どれも、少しも可愛くない。ただ涼しいから、とか出したいから、という感じで肌を晒している。だらしない、というよりは殺気立っている。

左耳の声がふいに大きくなった。

――駄目だ、不穏です、これじゃ、とても出せません。あと一ヵ月は止め置かないと本人が自爆してしまいます。前の国の、雄猿共の視線をまだ意識していますよ。こんな大事な時に冷静になろうとして。

――これではね、この状態ではね。保護牧に居つづけて壊れるのがせいぜいです。

――ああ、保護牧かあ、ふ、ふふふふ。

今まで冷静でしなやかだったやや年配らしい声が、急になんともいえないいやらしいひどい調子で笑い始めていた。

――まあ着いてそうそうはみなさん行きたがりますがなあ、へっへっへっへっへ。

たしか、バランスの話をした後から心がケーキの箱のように折り畳まれてしまった（ケーキは入ってない）。すると人の顔は判らなくなり形も色も、その名前を言う事が出来なくなっていた。だったら、ここは――。

　元の狂気の中。

「ここは――常世です」と小さい男と女が、ふたりで何かとてもいけない事を人の布団の上で、道祖神のようにしながら嬉しそうに言っていた。そこで、――。

「お前らは腰を動かすな真面目に排泄物を司っていよ」と私は自分が偉い神になったように命令していた。ふいに、――。

　看護婦が酸素ボンベの引き込み栓から水の入った瓶を引き抜いて行ってしまった。私は意識が覚めてからは白い壁に取り付けられたボンベの中の、水の銀色の泡をずっと眺めていたような気がしていたのに。止めておけと言われても勝手に手を出して酸素を出し、眺めていたはずだ。

　私は腰から下にちょっとしたやけどをしているらしい。ところがそのやけどを見て今の私は喜んでいる。腰から下がプラスチックのようになって骨が透けている。痛くないのである。へらへら笑うだけだ。笑っているうちに。

　ああ、また妄想上の女優になってしまった。

　着物を切り取られた事をそのきれいな女優は覚えている。自分で火を付けたとも言われている。が、「あなたに嫉妬して気の狂った奥さんから硫酸をかけられたのです」とも言われたりもする。酸で焼けたところは大した事はない。私はただ呼吸が変になっているだけ。その女のいる場所はどうも日本らしい。妄想上の日本で私は幻の美しい女優の体を見る。

狂った意識の中で、私はとても美しい女になっていた。しかも金持ちで有名で才能のある、私よりもずっと若い美しい男の、愛人だったそうだ。その男は世界の果てからでも追いかけてきて、私を讃える絵を描き芝居を書き映画を撮り歌を歌い、私に会いたいがために喀血するまで仕事して血みどろになるまで人に殴られ、やっと手に入れた派閥を踏みにじり恩人を陥れ、彼はしかもそのストレスでガンで死にかけ、最後には自分の体に私の名前を刺青してヌード写真集まで出したという。


**うわーっ。**


でもそんなの馬鹿な嘘だ。絶対インチキだ。とても愛されていたというところが特に変だ。その上今から生まれる子供は一本角で髪が真っ白だという。生まれて来たら畳んで箪笥にしまっておかないと世界を火の海にして天に昇るという。でも、――。

私はもうワニだ。ワニに角があるか、ワニのくせに、美しいのか。

耳の中ではなく、目の前で白衣のワニ達が恭しく言う。

――生まれる時には元の姿に戻って戴きます。

——お気の毒ですが、こんなに若く美しい方ですのに。

と、——。

——なんと美しい方、まるで女優のようだわ。

自分の方が結構女優顔の、でもワニの、でもかなり老けて顔の大きい器量自慢の看護婦が鷹揚なところを見せようという演技に失敗して、嫉妬剥き出しになった顔で声をつまらせて言う。私はその女のシミの数をワニなのに雛人形のような白い小さい指をおって、ワニなのに三歳で金髪の貴族の女の子のように、笑いながらどんどん数えてしまう。

変な世界の中、それでもその変な世界より一層変な女優妄想が発生したせいで、本来自分の置かれている変な状況がまともな現実に思えていた。その癖、——。

実在のナースの実在の言葉に、私はつい女優として答えてしまう。だってあの程度の器量で美人女優に対抗意識を持つだなんて、ばーか、ほほほほほほ。ふん。

——ふん、あなたって馬鹿みたい何が女優みたいよ、女優が女優みたいなのは当然だわ、美人の大根役者と正確に言いなさい、私はこれから映画監督に挑戦したいのよでもその前に男の大監督を略奪愛するわっ。そうして夫婦で監督になって美人のボケナス監督と言われるのよう

ふんうふん。

すると、——ベッドの膝のところに、「お前は美しい、骨の成り立ちや顔の大きさがもう違うのだ、造作も肌の色もこの世のものではない」と印刷してあるのが判る。

私のシーツの継ぎ目からは女神様が現れる。「思い上がった女達が化粧をし身なりをかまう

その身の程知らずを諦めさせようとして、お前の絵姿を見せようと私は思ったのです」と。

ベッドの枕元に巨大な白人の両手が生えている。「おーぅ、ぼーけなぁーす」と言っている。「英語使えよ英語」と叫んで私は枕の下から隠しておいた点滴用のパイプでその手をばしばし叩く。いーじわーるーだなー、いーじわーるーだーなー、と私の頭の本体から生えてきた干し首のような首の長い頭が、一本しかない歯を反らせて、私の機嫌を取りながら止めようとしている。その姿を意識すると――。


**おやっ、胸が痛い。どうして。心臓が苦しい。**


私はその醜いものをいきなり大きいナイフで切り取ってしまう。ナイフはただ食べごろのメロンを切るためにだけ持ってきたもので、かっては見た事もないくそ高い藤色のメロンを、私は自分ひとりだけのためにざくざく切っている。果肉はサンゴのような色で種の部分が完全に乾いている。けして、ワニの食物ではない。でもそればかり食べている。メロンを切るにしては鋭すぎるそのナイフで、私は私の体から生えてきた醜いものをも切ってしまう。切って切ったのをまた刺しつづけ、さらに刺し続ける。

――ああ、愛している、かわいいいっ、愛している、かわいいいっ、おおお、我が命、我が魂。

シーツの上に文字が印刷されている。

「夫は私が身なりをかまう事を不快に思って、あなたのノーメークの写真を私に見せました、ほら、昼の光の中でこんなにも美しい方が、と」

そう言うと私の膝の上で知らない女がしくしく泣いているところが見えたのですっきりする。今日は子供を殺すのを止めようと私は思う。女は誰もしないのに勝手に細かく破け、雪のように溶けて散ってしまう。すると私の頭からもうひとつ醜いものが生える。それを切る。悲しい。

――違うこんなのじゃなかった。失ってしまった。

おや私の体はうまく動いているようだ。そして左耳の方から。

――ほら正常に戻って来ましたよ、叫んで、物を壊しはじめました。

――ああいいですね、女優妄想の方は退院してからの治療で十分だ――揺り返しがなければね、あれから三日ですよ。

三日とは何だろう誰のいつの三日だ。

――ああ、せんせい、ああせんせい、せんせい、すばらしいさくひんを、どうぞ、おかきになって。このくにのしそうとぶんかとれきしをたんと、せんでんしてください。

私は一番嫌いな言い方で言われて腕を摑まれ、注射を打たれていた。ところが摑まれた腕は全部生菓子のように見えて、私はその腕にかぶりついた。チョコレートプリンのような味でレバーの臭いがした。顎の中で人肉がしずしずと溶けて行く。頭からはもう、何も生えない。醜いものは何十もベッドの下に散っている。ああ、こんなものはわたしのワケミタマではない。左耳をいきなりぐわんと殴られた。でも自分で言っといてなんだが、ワケミタマとは何か、ああ分けるに魂、と誰かが言っていた。そして、――。

踊っている、誰が・全員。発泡酒を開けている。口を開けた人が笑い合い両手を挙げ、三拍子で胸に羯鼓《かっこ》、腰にコシミノ頭に花の柱、ああこれは南勢の確かカンコ踊りに似ている。回っている。そこにはシャンパンが十本以上、女達が酒をかけあい病院で服を脱ぎ、大声を立てて笑いふざけて撲り合い物を壊し、放屁し、口々に、――。

――はははははははは、はっ。

――出ました。出ました今、言いました。ワケミタマです。出しましょう。

――いや、本人に認識があるかね、旧本国にもワ、ケ、ミタマという言葉はあるよ。

――いや、ないはずですよ、いいです、出しましょう。向こうではクシミタマ、サキミタマ、しかも死語です。ましてや人間の場合には使いません。神の分身をそう呼ぶだけです。

切り取った「愛のワケミタマ」を足で蹴り殺しながら私は泣いていた。

――ああ私のはこんなに汚くない、もっと、うつくしくてなつかしい男でした。

――決定です。連絡を。

――ウカですか、ははは、もう来ていますよ。男がうつくしいだとさ、ああやれやれ、分離だなこれは。

――もう来ているか、ははははははは。

左耳の声はひどく気楽そうになっていた。ナースのひとりが病室の床に倒れ伏して泣きわめいた。「母の代からです、私は私は」と。でも妙だ。男泣きにないている。

——男泣きだとおいおい。

——だから妙だって言っていますって。

——ははははははは、は。

——要するに分離派の先生だな。

——しかしウカはどうするつもりなんだろうな、振られ続けだ。

——おや、おかしくないですかそういう発想、ウカはただ愛国者なんだ。

——ふん、入国者の面倒を見るなんてカップリング目的に決まっているだろう。そもそもあちらの国では大企業の女子社員は花嫁候補として採用するそうでね。それに比べたら。

——えっ、女子社員ってなんですか私はニホン語はどうも。

——やれやれ日本生まれの一世はもう外人かね、つまり女だけをね、あの国では社員の中から区別して。

——えっ、それは保護牧連中がメインだという発想なんですかね。ひゃひゃひゃひゃひゃひゃひゃ。

——いや、まあ社員で女だとね、女という言葉が前に来るそして。

——ほー、ほー、ほー、ほー。

ほー、という言葉は反感と理解不能の両方を表すようだ。が、理解不能だから反感を持っているという事とは限らない、と思うが。

目が覚めた。腕を取られた、医者に囲まれていた。いや、医者はここでは医女というのだそうだ。者とか人とか国民は原則女だから。

ドアに鍵はない。シーツに膿が付いていた。衣服を替えて廊下に出ると、夢の中で見た通りのウカが迎えに来ていた。

廊下の半分はガラス窓で原発は見えなかった。海の上で一面に炎が燃えていた。怖しかった。美しかった。指さしたら。

――夢です。昼の夢、今私には見えない。ここでは水晶夢と呼んでいます。

とウカは言った。病院の廊下にベンチがあって灰皿スタンドがあった。スタンドには吸殻が山盛りになっていた。

――水晶夢の国にようこそ、あなたは今生まれた。

ウカの声は飾り気がない、というより無理も緊張もない、年齢がそのまま出ているような声。ウカはガラスを撫で、叩いた。私に、言った。その叩くリズムで。

――うみがみえますか、なにがみえますか、なにがみえませんか、みえるものがそこにあるとは、おもわないように。みえないものはかならずあると、おもうように。

思い出した。ウカの言う「文学的」に聞こえる言葉はここの移住者教育の慣用句で、旧本国ならばオヤジギャグに続くような普通のフレーズなのだ。そして普通の事が言えない時、ウカはだまっている。

しらふのアル中が光を見るように私はウカを見た。ウカはまた言った。

――生まれたてのあなたに教えましょう。水上で燃える火は夢を現にします。死者をも招きます。沈む陽もとどめます。

――……。

――今見たのは何色の炎ですか。

自分より十センチは背の高い女性を私は乙女と呼んだ。腕にオスのマークのタトゥーをしてオスの記号のピアスを付けているウカ。マークを指さすと爆笑して「いけませんか」と言った。それはたちの悪い冗談の中では一番受ける、判り易いタブーを形にしたもので、旧本国の菓子屋で大流行の、ウンコ型の服とキャンディーのようなものだというのだが、――。

私がそんなもの見た事もないと言うと、ウカは慌ててこう訂正した。

――祖母が見たのです。一世の祖母は芸者でした。私は祖母の功績でここの奨学金を受け、日本に留学し日本文学を学んだのです。

ウカは胸を張るが、日本にいたのはその四年間だけだ。それでも「普通の社会」がどんなに異常かという事をも習得したと言った。ここの言葉と日本語は一応通ずるが、やはり社会構造がまったく違うので、ウカのように留学体験のあるものが私の教育に相応しいのだという。永住者の多くはこの最初に面倒を見てくれる人間とカップルになってしまう事が多いのだそうだ。そこまで見越して人選してあるのかと思うとくどい感じがしたが。

ウカに手を取られて外に出ると、そこは国境に近い空港のある町。さらに海岸よりの女人国「奥地」に私のための一軒家がある。私はそこでウカの介護を受け、適応教育を受けるらしい。でも記憶さえもうひとつ蘇って来ない。

その日見た、目前の海と炎の色さえ私は答えられなかった。とはいえ見るそばから忘れてしまうような色であった。水上の炎はただ水の重力の上に燃焼の動きが繰り返され、その広さと混じり気のなさは水晶を溶かし水晶を燃やしたようで。

つまりそんな不可能だけを私は覚えていた。そんな夢を「水晶夢」と呼ぶ時、まだ慣れぬウカの顔にさえ暗いものが浮かぶのを私は見てとった。そこで異様な悲しみと理由の判らぬ破滅感に、私は襲われた。

病院を出ようとした時に気付いた。私の腰から下は本当に透けて、骨だけが見えていた。グラスキャットのように。そして腰に炎が纏わりつき真っ青に燃え続けてでも――。

――大丈夫ですか、火というのだからこれはメラネシア産かな。

それでも目前の海の炎の色は、判らない。

ウカに介抱されながらこの国の事をおしえて貰う事になった。

# 2 わが伴もこに来《こ》む・自分の仲間に来てくれ

滞在記のような心持ちで今からこの文章を綴る事にする。ウカには内緒である。――と書いたが何か変な文だ。これでは当事者意識も現実感も、どこにもないような、しかし――。

　今の私はぬくぬくした感じでなぜか脳天気にワープロでそう打ってしまっている。一方それを打っている私の心の中には透けて見える監獄があって、ガラスの壁越しにもうひとりの私がわんわんと泣いている。その監獄の中でそいつは、――死刑、監視、逮捕、検閲、等に怯えて狂いまくり、騒いで、ああそれこそ被害妄想のように見える。でもそれが本当は正しい態度だと言わんばかりの感じはこちらにびりびりと伝わって来る。

　もうひとりの私がここから逃げろ、と叫ぶ。しかし私はどんどんこの国に慣れていく。でも、――。

そうだこの国に慣れたという事からまず書かなければならない。私の意識自覚、それはとりあえずこの国との距離なのだ。今の私とはまず国家に対峙する存在である。でも――。

ここに来て何日経ったのか未だに判らない。ばかりかずっと何種類もの、それだけで腹が膨れるような、大量の薬を飲まされている。ウカがくれるのだ。必ず飲まなくてはならないのだそうだ。

薬には少しだけ副作用があるとウカは言っていた。しかし国民が全員服用しているとも言っていたような気がするのだ。通りに出た時、母親が女の子を四人並べて朝から手際良く何か飲ませているのを見た事もある。「飲むもの頂戴」などと子供は言っていた。でもそれはジュースじゃなく薬なのだ。私と同じ薬だという確率は低そうだが。

副作用で、例えば湿疹が出たり、頭がぼーっとしたりというのはない。ただ幸福で、前の国にいた時よりもよく眠れる。たまに窓枠のところに剝き出しで寿司が置いてあったり、夏も涼しいはずのウラミズモの庭にハブとイリオモテヤマネコが出たりする事はあるが、そして時に私がそれを飲むのを「忘れ」たりすると、もし薬を嫌がるようならまた病院に戻らなくてはいけないとウカは冷静に優しく言う。すると、そんな時ガラス越しのもうひとりの自分の方は、とても感じ悪くぎゃんぎゃん叫ぶように怒鳴ってくる。

――病院どころじゃない！　殺される！　逮捕！

今だってそうだ。私がウカに内緒と打った途端に。

——ばれる！　すぐにばれる！

まあそれは正しい。今はこっそりフロッピーに入れておいてもいずれ見られるだろう。でもその正しい忠告はパラノイアの正しさにしかもう感じられない。「へー」、とか「ほほー」とか「あはははは」と言ってそれで済ますしかないような異常な正論に思えるのだ。というのもまったく環境が良すぎるから、ここは。薬で膨れた腹でも飯が旨すぎる。実にいい世界だ。私は堕落した。それはとても素敵な感じいい堕落なのだ。だからガラス越しのそいつがわんわん泣く度に私は聞こえよがしに、こう言ってやる。

**ああ自分にとって楽で得な事ばかりだ。ここはなんて都合いい世界だろう。どうせ外国の大きい不幸な事件で自国の文化全部に意味がなくなったと言ってるやつだって、その日のうちに風俗行ったり八幡巻きでビール飲んだりしてるだろうしなああ。まあそいつらは本はもともと嫌いなんだろうけど。**

と、そうだドストエフスキーが言っていたはずだ。「一杯のお茶さえ飲めれば世界なんか滅んだっていい」という心理について。
するとガラス越しのもうひとりの私はわめいてくる。
――書くのを止めなさい。書けば殺される！　滞在記なんて出せるはずない！

最近の私の意識はいつも二通りになっている。しかも相反している。国家を一方は否定し一方は肯定する。一方は健全で深く考えず、一方は真実を知ろうとするあまりに当然持つべき生命力をも損ない脅え続ける。が、そのどちらが天使でどちらが悪魔なのかは私には判らない。ただ、健全な方の勢いは日を重ねる度に優勢となり、「正しい」方が目をつり上げたりする度、――。

ああ、うるさい正しいご意見、などと気にする前に、私はただ上品に笑ってもう聞かなくなっている。「五感がまともに働く正しい私」というものを私は次第に失いつつあるのだろうか。そもそも滞在記と言っても原則として、私はここの国民にならなくてはならないのだから、そんな他人事のような感じで物を書いていては仕方がないはずなのだ。いやそれより、――。

当然だ。ここの内実を個人が観察し素直に書いたとして、この体制の中でそれがそのまま国民に読まれたり海外で「翻訳」されたりする事はまず考えられない。いくらまだ元の国に戻れる試験期間中とはいえ、凄まじい統制のあるはずの、厳しい、思想・宗教国家のただ中に私は住んでいるのだ。いやいや、戻れるかどうかさえもう判らないではないか。そう、国は内と外では大違いなのだ。実際、――。

戻った人間はひとりもない、と移民教育用のリーフレットにれいれいしく書かれている。殆ど全員がこの国を気に入り受け入れた事を誇りにしていると。またごく少数の不満家も戻りはしないと。でも、戻ると言った瞬間に消されてしまうだけかもしれないのだ。

ああ私は一体何をしているのだろう。

こんな危険ななんだか判らない国に、本当に希望して来たのだろうか。混乱した状態で気が付けば私は、ここにいるのだ。しかも気が付けばぬくぬくと住んでいるのである。明日いきなり官憲が来て殺され、カイボウされてしまうかもしれないのに。知らない国なのに、今日ちやほやされて。でも、今のところ――。


**うわーっ。**


と叫んでいるのはガラス越しの自分だけ。こっちにいる私のこの切迫感のなさはどうだ。あまりの快適さに私はもう生まれ変わってしまったのだ。ひどい国かもしれないのに、来てまもなくのせいか、まだあまり知らぬせいか、いや何よりもこの快適さに酔ってしまい、まったく自然な国だとも思えて来るのだった。そして自分にとって自然な国という事が自分を弾圧するはずのない国という狂的確信に繋がってしまって――。

ここは、女の理想郷、という事に一応なっている。

それは公的機関のパンフレットを見るだけでも判る。

例えばここの移民に送付される「お知らせ」である。その表紙はいつも国を象徴するトーテムの絵で、少し不気味なものの、中の挿絵がすぐに安心に繋がる。というのも、例えば市の略図の中に女性の記号が常にふたり並んでいるのが人間の印であるとか。またゴミの出し方ひとつにしても、ここでは下着を細かく切って、うしろめたいような気分で出す必要がない。そもそもサービス機関や移民のための生活案内でも、家族手当てについても、どれを見ても、働く女、指令を出す女、工事現場の女、女の子を間に置いた女と女、――と言った具合に女ばかりなのだ。移民の生活学習用教科書の写真も全部女である。それも、――ブルマやスコート等の薄気味悪いものを穿かずに済み、勝手な恰好でスポーツする高校女（女子高生ではない）だの、全員女の国会や全員女の大企業ビル、議（員）女も男装してるのからコスプレまがいのまでばらばらだし、女子施設という言い方もここにはなく、施設と言ったら全部女子用である。トイレも女子トイレだけで温泉も女湯だけ。しかも観光ホテルまでそうで、観光客でも男は女が連れて来なくては入れないし男はウラミズモ滞在中は風呂なんか入れない。男を連れていると一流観光ホテルが予約を断ってくるので旧本国からの時代の和風ボロ旅館しか泊まれず、男だけは外の流しで体を拭いている。男性用の露天風呂がありますとれいれいしく書いてあっても仮に女全員が男を連れてきていてもその風呂は異様に小さく設備が悪くて、その上まだ絶対男がむかつくようになっている。というのも男は入浴中は長い鎖で繋がれて体を洗うだけだからだ。しかも外は武装警女が取り囲み、男性（特危ペット）料金はその武装に金がかかるので非常に高い。当然男風呂の外ではウラミズモ国民分離派の淑女が、たちまち風呂を覗く、馬鹿にする、奇声を上げる、物を投げ入れる、ありとあらゆる嫌がらせを何の悪意もなく反射的に行って「おい無料の保護牧だぞ」などと叫び、しかも彼女達はその日のうちに自分達のした事なんか完全に忘れてしまうのである。

設備は旧本国の一部旅館の男風呂と女風呂をひっくり返しただけで特に金を掛けて改築した結果ではない。トイレは主女（観光で男女が入って来た時は男は女の命令で動くし公的な場所には首輪で繋いで来る、連れている女の方だけが人間なので女の観光客の方を主女と呼ぶ）に連れて行って貰って女子トイレを使うのだ。無論、そういう滞在中に何か少しでもここの政府の気に食わない事があれば男は保護牧に収監されてしまう。

広報は言う、毎号必ず言う。――「私達はこの国を完全とは思いません。しかし多くの犠牲と悪徳と集団演技の上に強権発動で出来たこの蜃気楼国家を、私達はまるで二人の母が幼い女の子を守る時のように、どんな汚い手を使っても守る事でしょう。そして同時に我が国家は外交上はその汚さを一切見せず、うわべばっかり激しく正しく、ムナクソの悪くなるような偽善的面子の立て方をせねばならないのです」。

広報ばかりか、実際どこに行っても女の人しかいない。国内で銃を携帯出来るのは女性だけだ。無論、全員が持っている。そう全員、と言ったらここでは女の人という意味で男に銃はない。たとえ冗談でも女性が女性や普通のペットに銃を向けたら重刑になる。そしてこのようなな国なのに戒厳令が（原則）ない。無論、男性は（原則）外に出さないのだ。あらゆる職業が全部女、男がいても、「見えない」ようになっている。そう、見えないのだ。その事がまた私に前の国を思い出させる。

たしかに前の国を私はとても嫌だった。それ故前の国と私とのスタンスはそんなに重要なものではなかったはずだ。要は私は絶望していたのだ。でも今は違う、それ故却って。――今ではこのふたつの国の間にふっと浮いているように感じる瞬間がある。北欧神話に、「ギンヌンガガップ」という単語があったと思う。世界が始まる前の底知れぬ裂け目という意味だったのだ。あのような裂け目のうえに自分は浮かんでいるのだと思う事がある。

その一方日本はもう前の国だ、そう、前の国。つまり今の国があってこそ私はギンヌンガガップに浮く事が出来ているのだ。

自分がここに来た理由は実はまだ判らない。本当に望んでここに来たのなら熱狂したり国家元首を見たがったりするはずだろうに。それが総て他人ごとのような感じでしか反応出来ない。自分の所属する国を変えるという事は他の人にとってもこういう事なのだろうか。国境をまたいだという事がまさに判るのだ。以前どういう国にいたかを生まれて初めて知る。

ここでは前の国でして来た事の多くが無駄、または、笑いの種なのだ。だがその中で、――。

建前上の国策がどうであれ陰で糸を引いているのは日本の男かもしれないとふと疑う時もある。戦前の左翼は理想社会が出来ると思って戦い、殺され、拷問されたりした。例えば戦前ロシアに亡命した人は着いた当初どういう感じだったのだろうか、無論内情を調べた上でトんだのだろうが、着いた途端に騙されたと思ったりはしなかったのか。ハンガリー暴動の時さえ日本の文士の中には、ハンガリーの民衆が抑圧された事をなかなか信じられなかった人々がいたというし。

そもそもこの国は決して、多くの思想・宗教国家がそう描くような理想郷のイメージをうってはいない。ここでは役所の広報さえも悪意を自覚している――。

つまりいくら私に都合良くってもこの国は変、それは確かだ。おっと、――。

でも変と書いただけで逮捕されてしまったらどうするのだ。ウカだって親切は親切だけど要は監視係兼だ。そもそも何を目的に私はこの国に入ろうとしたのだろう。

なぜか新しい国に来てその気に入った点を結局私は書く。そうしないではいられない、これは物を書く性としか言いようがない。書いておきたい。総てに慣れてしまい鈍くなる前に。それも出来れば今気づいた驚きを心覚えとして残しておきたいのだ。どんなに間違っていても、後から恥ずかしいと思ってもその時感じた事を。でもそういう私はもうこの国に依って書いている。

と言っていながら――。

肝心の統制国家を嫌う私を私はつい置き忘れている。私の指が今残そうとするのはここの快適さを新鮮に感じている今の心理状態である。という事はここを理想郷としてもう受け入れてしまっているのだろうか。私の大前提がこの国の政策と合ってしまって、私は何を書いても弾圧される事のない「立派な国民」という事なのだろうか。掌の上の反体制、箱庭反権力、じゃあタイホはなしだ！　要はマイノリティがマジョリティになったという事か。ただ心許ないのは、——。

最初の入国体験での時間の流れがもうダンゴ状になってしまっていて、前後も経過も自分ではよく判らない事だ。しかもまだまだリハビリ期間、適応訓練中のため狭い範囲をうろうろする単調な生活である。それ故、思考はどうしても記憶の確認や些細な状況把握のための努力ばかりになる。そのあたりがこういう文を書くハンディになる。狭いところでなんとか生きられるようになりつつ、ただもうずるずると小さい世界に慣れてしまうだけかもしれないのだ。元々、ここで弾圧されるように私は出来ていない。

こういう私にはもう「滞在記」を書く資格もないだろうか。でも——。

前の国では人権も法律もきちんとしていたのに、その一方抑圧されている、口を塞がれているという感じは凄かった。というより私は見えなくされていて何を言っても書いても全部無かった事にされてしまったのだ。ところがこのひどい統制国家のただ中で、私は生存適者として、前よりも無事にいられたのだ。それもただ単に女として生まれたというだけの事で。

そうそう、何かむかつく言葉だがウカもこう言っていた。「あああなたは素晴らしい、ともかくあなたと来たら、ただもう、ただただもう女であるというだけなのだから」、と。——これはどうやらウカの殺し文句らしく何度言われたか判らない。しかしこれこそまさにウラミズモ言語で、本当のところの意味はまだ判らない。いや、それはともかく、——。

具体的な事だ。そもそも私は何日間入院していたのか。頭が混乱している間にどれだけの時間が経ってしまったのか。結構長期だったのか。――歩くと足がまだがくがくしている。二の腕が勝手に老けてぷよんとしてしまっている。人間の筋肉は使わないと一週間で駄目になると聞いた事はあるが。

今のところ、外出には杖とカートを持っていく。その上ワンマイル圏内でも最近はウカが付いてくるようになった。勝手にひとりで出ると行いから会話まで報告させられる。

病院で受けた「治療」または「審査」の後遺症と言えば、主にはこの記憶の障害についてなのだ。自分に関するデータまでトんでしまった部分があるという事。とはいえ、私が作家としてどんな物を書いてどう評価され、前の国でどういう待遇を受けていたかという事などは覚えている。が、――。

その一方、自分の正確な年齢は四十代のはずなのに、なぜか実感がない。またここに来る直前の記憶の欠落。さすがにもう自分を美人だとも妊婦だともワニだとも思わないが、いや、そう思ったという記録が残っているがその記録を見たって何も思い出せないのだが。とはいえ、――。

男の「いない」この国では女の年齢に対する自意識は非常にユルく楽なものになっているらしい。五、六歳多かろうが少なかろうが、フンという態度だ。体の衰えを誰も気にしないのは医学で補えるからなのだという。老けた容姿も、本当に同性愛の人がいたら女同士で気にするかもしれないのだが、皺を気にしたりするとナルシストだと思われて馬鹿にされるだけだ。まあそのナルシストの数も相当に多く、ダイエットやエステは発達している。ただそれが国民的強迫観念にはならず趣味の領域になり、しかも痩せた重量や顕微鏡で見た皮膚の状態等の数値だけを競い、日本の男の出世競争のような雰囲気でもある。また太るダイエットや皺出しエステも一部だがあるし、日本なら美容マニアになるタイプは自分の体の変形や脳の改造、全身にする刺青の方に興味を持つという。美容整形とはここではそういうマニアのためのものだ。

老けた同性や太った同性を特に好きな国民も多く、求めるものはそれなりにパートナーを見つけ、人形愛者は無論したい放題をし、楽しく暮らしているというのである。但しこういう生きやすさは女性に限られた事で、保護牧の男に対する年齢、容貌差別の徹底は日本で女性に課せられているのより酷いと言える。保護牧で育って一定年齢を過ぎた男や、特に不細工に生まれた男がどういう運命を辿るのかはまだ聞いていない。この容貌の基準もまた男性と女性では違うらしい。

結婚はここでは基本的には男性憎悪の印として行われるため、女性同士の官能はむしろ抑圧される。同性愛の女性が美人女優を好きという事は別に日本では珍しくはないのではないか。しかしここでは、日本のデブ専科の男が見栄でモデル体型の美人を選ぶというのと同じ感じで、金持や権力者程、国是にそったパートナーを選ぶ。男に嫌われそうな女とこれみよがしに結婚し他の同性に見せびらかすためパーティや公の場所に出ていくのだ。或いは私が病院で「美人だよ素晴らしい美人だ、はははははははは」などと言われたのはそのせいかもしれなかった。

美人という言葉はこの国では様々にずらして使われるため私には意味が取れない事が多い。容貌から自由だが容貌に屈折のある、また本音と建前の錯綜するような容貌観のある国かもしれなかった。またここには財産や名誉目当ての結婚も多いそうだ。無論、――。

政府は「恋愛の対象と性欲の対象が一致したものが一致派だ」という公式見解を出している。が、それはあくまで建前の事で、一致派とはヘテロの性を男性憎悪に留めたもの。分離派とはその憎悪を人形愛に転化したものに過ぎないのだ。

無論それ故一致派はべたべたしなくてはならず疑似性交もしなくてはならず、それでストレスが溜まるとこっそり保護牧に行くタイプもいるのである。ごくまれだが同性愛に移行してしまったものは国外退去が怖いので却って隠し、人前では離婚直前のように巧妙にふるまっている。(おおむねはそれで、オッケーである)

「日本の結婚だって同じでしょう、ほら同じ、本当に寝たい相手と出会ってお互いが一緒に暮らせるカップルなんて」――そう言いながら退院当初足腰の立たない私の体をウカはかいがいしく拭いてくれた。そんな時のウカは睫毛を伏せていても動作はきびきびして優しく、それ故に不気味にけなげで、しかしその口調は女子大生亡国論のオヤジ評論家のように自信に満ちていた。それはウラミズモの国是に則した言葉故の自信であり、また個人の留学体験がそれを強固にしていた。

そう、この国では「日本に四年留学していた」というともう男性観察をし尽くし辛酸をなめつくしたかのように尊敬されるのだ。

「留学体験で本一冊出せる程ですが私は自分の本などよりあなたを支える事を生きがいにした

い」ウカにそう言われると私は下を向くしかないのだった。

社会に慣れるため遊びに行った近所の一致派のカップルのひとりは、ウカが「結婚とは」と言い始めるとはるかに年上なのに、しかもウカは独身なのにウカに対して御説拝聴のポーズを取り、もう一方はというといきなりウカを指さし「どんなに威張られても仕方がない、なにしろこの人は地獄に四年」、と賛嘆した。様々な情報から遮断されながら、そうやって私は「典型的家庭について」ウカに学ばせられた。ウラミズモの生活の快適さや気楽さをこうして教え込まれていたのだった。そこのカップルはふたりともくたくたのシャツを着ているのに家は立派で、子供は「遊びたいから作らない」と言っていた。結婚理由は「家事分担の相性がいいから」で、二人で趣味の楽器（ドラムとベース、地元の発表会にたまに出るだけ、海外公演などするはずもない）を鳴らしたいから田舎の一軒家を選んだともいうのだった。そのふたりに例えばウカが、「電車の中で女が足を出していると男は当然のような顔でそれを見ます」と言うと、ウカより年上でもとりわけ世間知らずで、しかもここで生まれたため日本を知らないふたりは「国中が保護牧なんですか、足を見るように男を躾けてあるのでしょうか」と言っていて（まあこの国にさえ日本カマトトというのがいるからそれかもしれないが。一致派の金持ちと結婚するタイプだ）男が道を歩いているという事からまず説明しなくてはならないのだった。

日本の人気ドラマをここで放映するとすぐ打ち切りになる。「見苦しい、男が道を歩いていて治安と衛生に悪い、変な風習を見せると子供の教育に悪い」と言う理由である。一方保護牧ではむしろ男のよく出てくる日本の放送を流しているが、それは違う受け取り方で楽しまれるだけだ。「いやー、男が郵便局で葉書を買っていたり会社の廊下を男が歩いているとはたまりませんなあ、しかしどうして保護牧にはいない年寄りの男や歩いてても意味のない不細工な男まで写すのかねえ、けっけけっけっけ」という類のもの。その上日本の男はスタイルが悪くリズム感も悪いというのだがウラミズモはもう混血化してしまったのでそこが珍しいと言って「リバイバル」になっている。文化が違うと商売も違うのだ。外国の映画も同じ事でここでは「古典」しかない。現代のこの国で男が外を歩いているというイメージはなく、移民はこの体制に来るのだから身内と縁が繋がっているものはまずないと言える。それでも移民が絶えないのだが、この移民にだけは海外旅行が比較的自由というので不安もなく移民してくるのだ。が、入国後のこの権利を行使するものはまずない。一方生え抜きの個人が海外に出るのは異様に規制が厳しいし、どの外国だって男が道を歩いているから誰も行きたがらない。それ故に余計に国外退去を恐れるのである。まあ文化的には部分鎖国状態と言える。

一致派の家にいる間中ウカは微妙に、私と彼女がカップルであるかのようにさりげなく振舞った。訪問先のカップルもウカに同調して、同じ大きさの夫婦（婦婦）湯飲みを「私達に」くれて、ことある毎に「おふたりは」というような言い方をするので緊張した。

ウカには病後の食養生、入浴の介護から、歩行訓練まで徹底して世話になった。ボランティアではあっても総ての介護には政府から細かく規定された報酬が出た。

この国は女性が女性を介護するパターンだけなのだが、身内を介護しても報酬はある。「手を抜くとばれます、絶対にばれますね」とウカが言う所を見るとやはり監視カメラがあるのだと思う。が、「告発が凄いんですよここは密告国家です」という建前であった。
まあ実際に密告も凄い。というのはただ単にウカから得た情報だけではなくここに来てすぐ近隣で密告された人がいたので判ったのだ。その時の内容はまず滅多にばれない（そもそも少ない）はずのフィジカルな同性愛カップルであった。史上三例目という珍しい国外退去で、これはこそこそ保護牧に行っているようなカップルが告げ口したという（一方、一致と分離の対立は表面上派手だが、マスコミでやりあう事はあっても実生活ではあまり陰湿にはならないらしい）。

介護でもうひとつ驚いたのは私を入浴させたり寝台から抱え上げたりする時にウカが私の体を軽々と抱え上げ腰痛にもならない事で、背中に背負って肘を支える形になっている充電式の家電を使っているのだった。それは両手で持っている物の重さを半分以下にする機械で、六十キロ以上の人間を平均的な体力の女性でも抱え上げられるようになるという機能のものだった。ウカはここでも筋力のある方だというし、昔の農家の女性でも米俵一俵を担ぐ人はたまにいたというが、それでも彼女に抱き上げられて家の二階まで上げて貰うと、「いい国に来た」と思うしかなかった。もっともその機械は以前に写真では見た事があった。人体型ではなくとも、「介護ロボット」の一種なのだ。が、適用出来るのは確か五十キロ台だったし重さは半分にするだけ、しかも実用化はまだまだのはずで、「一台何千万か掛かるのでは」と聞くとウカは急に深刻な顔付きになって「これは日本製なので」と言っただけで横を向いた。

私には介護されているという遠慮があったもののその深刻な顔は気になってしまった。それで、他の記憶ははっきりしないままに、例えばぼけた人が住所も忘れているのに急に鉄道唱歌を全部歌ったりするのと同じようにして、こみ上げて来るものをぶちまけてしまった。というわけでその時だけ、いきなり正確にべらべらと喋ったのだ。

まず、「確かに日本は七〇年代からずっと人型ロボットの最先端国であり、またローテクヒューマノイドという言葉まであり、量産を目指して試作されているタイプの中には秋葉原で売っているような部品だけで作れ、なおかつ二足歩行する機種がある程進んではいる。またその介護機能ロボットも自分は見た事があるが、やはりどう考えてもここでの一般化が早すぎる」という意味の事を言った。

その上、日本では量産型と研究の両方を追求する段階には入っているものの、やはりそれは最先端でさえどんな動作をするかというレベルに止まっているのではないかと言い、本田技研製の、口をきき階段の上り降りをしロボット館の館内案内という勤務をするアシモ、情動表出ロボットだの動きの模倣、学習機能のあるロボットについて、弁当のおかずをフォークで取って、病人の口許まで持っていくタイプについてまで言及して、それでも製品化が、といぶかしんだ。

「つまりロボットの普及でまだ問題なのは量産体制だ、国を出た時の記憶だとまず一千万で五十台つくれるかどうかを問題にしていたという段階だったはずだ。最終的には二十一世紀中に百万か五十万円程度で家事ロボットを作り、年間百万台という車並みの供給にしたい、二十一世紀の代表産業にしたいと企業は述べてはいたし国も研究に入れ込んでいるものの、だがそれにしても、一般家庭でロボットがもう使えるのだろうか」、とも。――自分でもどこにそんなエネルギーがあるのか判らない程にそう追求すると、何か今いる現実がやはり幻であるような気がしてきたのだ。すると、その日はいつものでない薬を飲まされた。今までの薬がきかなくなったので興奮してしまったのだと言われたのだった。二時間後寝室の窓枠のところに寿司が見えた。

無理に昼寝をさせられて起きたら寝室のはきだし窓が一回り大きくなっていた、窓が開き、部屋には穏やかな雨が降り込んでいた。窓際を濡らしていてもなにも汚くなかった。そこだけ水底になったようだ、と私は思った。焦げ茶色の金属のサッシは埃ひとつなく清潔な天水に打たれ、その溝のところに寿司が一列にはまり込むように出現していた。霜降りのトロと色の薄いアナゴと鉄火巻きで「一人前には足りないけど旨そうだ！」と唾を飲んだ。「汚くない、食べられる！」寿司は全部が霜を戴いたように濡れてきらきら光り、溝の中できゅうきゅうと動いているのだった。無論、実際の窓のガラスもそんなに汚れてはいないが、ウカも仕事を持っている上に私の介護をしていて、現実世界において、そこまでは手が回らない。一方、夢の窓は窓ガラスまで水底にあり、皿よりも清潔だ。

サッシの上の寿司なんか駄目だと一瞬だけ思った。が、私はすぐ手を延ばし醤油も付けないでわし摑みにして、それを貪り食った。するとたちまち喉を通り、アナゴの脂肪の粒子の新鮮さや海苔の乾きから立ちのぼる香気までが粘膜に残る。――指を舐めているとサッシにまだ大きい飯粒が残っていた。しかしそれはよく見ると大量の蛆であった。いい気持ちで窓を私は一層大きく開けた。すると雨粒は一層大きくなり、雨粒の中にも白い蛆が宿り、綿のように光った。焦げ茶のサッシの上に赤茶の羽アリまでいて、どんどん飛び立った。

ウカを呼んで、寿司をいつ置いたかと聞くと、不気味な程優しい顔で微笑み「何があったのか」と聞いた。私は多分満足した顔をしていたのだろう。そこで自分が体験した事を説明すると――。

それは水晶夢だと言った。水晶夢については何度も聞いていた。病院で海が燃えるのを見たのもそうだし、腰から炎が出るのは腰痛だけが現実で炎は水晶夢だった。現実に重なって出る場合も、生々しい夢として寝ていて見る場合も、どちらもある。これはこの国では大事で、もしふざけて水晶米みたいなどと言ったら銃殺されそうだ。というのも、――幻覚、夢を語る事でこの国の人間、つまり、女性達はプライベートなコミュニケーションを計るからである。しかもそれは時に公にも議論される程社会的なものだ。特に人間性、つまり女性性の問題について語るためならば国会の資料や裁判所の証拠にまで採用される。これは感覚面で言えばこの国の一番判らない制度ではある。が、どれが水晶夢でどれがただの夢、幻覚であるかについてはこの国の正常な人間、つまり女には完璧に判るのだそうだ。

水晶夢を使って人は語りたくない事もついつい語り自分では気付かない事も正確に語る。それは人と人とをつなぐ役割をするのだ。またはなはだしい場合は水晶夢は「通底」する。違う場所で眠っているふたりの人の夢が距離限定だが通い合う場合があると、オカルトを糾弾するプラズマ研究者の書物で私は読んだ事があった。その「通底」と同じものかどうかは判らないがプライベートな生活の中ではここの国民はこれを大切にする。友情にもまた疑似的な女性同志の恋愛にもそれは現れ、通底した水晶夢がきっかけで結ばれるカップルもあるという事だ。

ウカがショックだったのはまず、ウカ自身が私の見た寿司、水晶夢を見なかった事、つまり通底しなかったという事だけでなく、その夢の内容がウラミズモでは良くないものに属していたからだ。

——食べる夢は良いのです。ヨモツヘグイとあります。つまりあなたはウラミズモの水晶夢の中で食べた。わが国の国民になっているという事です。しかし、——。

寿司の夢は良くない、前に見たか、とウカは聞いた。無論その夢解釈が、それがもうここでのコミュニケーションなのだが、嘘を言う程までそのコミュニケーションに熟練していない私は本当の事を言うしかなかったのだった。

「夢の中で寿司を見た事はない。でもサッシの夢はある。昔日本で見た。汚いサッシの中で生きた金魚が団子のように動いていて、外は夕焼け空できれいなのに乾いた窓だった、金魚は怖かった」、と。

ウカは泣いた。それからあなたには保護牧に行く権利があります、とぽつんと言った。まだ保護牧がどんなものかも知らないままに、私が行きたくない、と答えるとウカの機嫌は治った。その日の介護の態度も変わる事はなかったので、私は一層ウカに頼った。

ウラミズモにおいて介護の手抜きは立派な重罪である。その他、逆に介護以上の事を病人が要求した場合、例えば寝たきりを助長するような甘えからの要求を出した時、さらには病人を甘やかしてそれを受けた時の罰も、凄い。また、どんな場合にも例えば看護人が身内だからという情状酌量は一切ないという。介護マニュアルの徹底には弊害も出ている。それ故国民は寝たきりになると一致派のカップルはともかく、カップルをなくした後の人は娘や姪よりも他人に介護される方を選ぶという。またカップルの一方がもう一方の親を介護するという事は法律で禁止されている。罰は死刑より形式的にひとつ軽いだけ、つまり実際は死刑より酷いと言われる国外退去である。

介護に関しては誰かが本人に直接介入して口をだす事は出来なくなっている。政府の監視と密告以外は介入禁止である。口を出す場合は関連機関にその「差し出口」をする本人が出向き言いたい事を言う。そして役所が判断すれば介護する人間をその「差し出口者本人（差し出口というのはウラミズモでは立派な公用語である）」に変える事になるし（この決定が一番多い）、役所経由でなく介護者に直接何か言ったものは当然、科料を課せられる。監視カメラ（または密告）はその時にも大いに機能している。但し、それらは要するに一致派に関する話である。

分離派の場合はまた事情が違う。つまり彼女らの場合多くは男性人形型の介護ロボットがそれをするからで、ロボットは設定すれば言葉も少しは判別するし、在宅サービスで持って来た食事を温めるとか電動ベッドから病人を抱き上げて電動車椅子や、移動可のリモコンウォシュレット、階段のリフト椅子に載せる等の作業を普及タイプですらこなすからだ。ある時分離派の家に見学に行ったら、オプションで病女を抱き上げて階段を移動するし煎茶を完璧に入れる男性人形がいて、急須を温めるお湯を一旦冷ますというのも煎茶道のようにやってのけた（でも温度を見る時にお湯に髪の毛を漬けていた）。演奏機能等はもう当たり前で、ただ「インプロビゼーションは無理、採譜した音の通りに弾くだけのタイプで管楽器を和音に聞こえるように早く吹かせると故障する」と持ち主も詰まらなさそうだった。その後すぐにジャズの古いCDを掛けてお喋りすると、「阿部薫というのは実は女です、カオルというのはそもそも女名前で」だとか「ジョン・コルトレーンと称していますが、実は作曲は妻のアリス・コルトレーンが全部やっていました」、「このドラマーはカーメン・マクレエとデキていたのでサイドメンにしていて貰っただけで才能はありません」と言ったあきらかに間違った話題だけが出た。

そういう逆テクスチャルハラスメント的な言動を見聞きすると、復讐の溜飲が下がるより前に深い悲しみが湧いた。その悲しみは自分でもどこから湧いて来たのか判らないのに切実だった。私は自分で動けるようになっていたが、それでもその日も、その悲しみについてはやはり黙っていた。

というのも、ウカが分離派を話題にする事さえ嫌うからだ。分離派の家に行くとウカは切り口上になり、一致派のところに行った時と違ってすぐにそこを立ち去るように仕向けたりした。その上にロボットテーマの話なのであまり話題にしてはまたクスリを飲まされたりするかとも思ったので。

男性の人形に介護機能を付ける費用と、女同士の介護サービスの費用とがかなり違うため、分離派と一致派では年金や保険に差が出てくる。国内放送で分離派一致派対決のトークショーがある時等は、この年金、保険制度でやり合う事が多い。——介護のための家電はこんなものがあったかと呆れる程徹底している。「今の時代とはとても思えないSFのようだ」、とウカに言うと、またしても彼女は深刻に困った。

恐ろしい事に、この男性介護人形には殺人機能を付ける場合がある。その上この分離派の自殺に差し出口する事は立派な犯罪である。但し、安楽死は申請のための正式なカウンセリングを受けてからさらにその書類を受理されないと許可されない。分離派は本人がまだ動ける内にこの申請を出す事が多いらしく、無論若いうちに死ぬのであっても申請がおりれば許可されるので二十歳位で自死するものもいるが、大抵は高齢になると今までさんざん虐待し放置した自分の人形にこの言語、介護・殺人機能を付けて貰い「彼だけが頼りで」などと平然とうそぶき、その後「美少年人形の膝枕で過去の人類社会を憎みながら、初雪の降りしきる日に」などという遺書をロボットの録音機能に入れつつ記録カメラの前で好きなように死ぬ。中には知人や娘を呼び葬式込みのどんちゃん騒ぎをやってからというのもあるし、騒いでいて浮世が惜しくなったので、と何度も自殺を取り止めるタイプも少なくない。身内がもし分離派を看病していたとしても自殺申請が出たらその時はまず人形介護に切り代えるように役所は勧める。無論一致派で勝手に老人を安楽死させたものは死刑よりも実質重罪の国外退去である。分離派では死の間際になって人形の体に深い愛着を覚えてしまうものもいて、そういう場合は自費で増強してあるロボットの機能の部分だけを、分離派の保護牧友達に遺し、人形を自分の棺に入れろと遺言して死ぬ。

安楽死には無論この国のもうひとつの特産物、おぞましい程発達した各種「お飲み物」が使われるのだ。ところで、――。

私の場合、まだ分離派でも一致派でもなく、しかも受入れ先があって移民してきたわけでもないという事になる。全財産を持って入国して来たらしいが（とは言え、もうそれらも何もかもウカに確認しないと判らなくなっている）介護を誰かに委ねるというと、結局入国ボランティアのウカしかなかったのだ。ひとりの知人も受入れ先もないところになぜ来たのかは、いつものパターンだが、本当に、判らない。引受人がなければ入国など出来ないはずなのだが、その引受人までがボランティアの、赤の他人のウカになっているところがまた謎なのだ。その癖ウカの事は前からずっと知っているような気がしているのだった。実際に世話して貰っているとやはり知らない人なのだと実感はするが、ともかく、――。

季節が温かい方に向かっている事は確かで、ここに来てから何ヵ月かは経っていると思う。その間、私は介護されているしかない状態でウカに感謝し、頼り、慣れて行った。ウカの私とあまり体温差のない剝き出しの皮膚や、私の手を包む程大きいのに華奢な手の指や、安心して体をあずける事の出来る広い胸に、また散歩に付き添ってくれる時の頭ひとつ高い身長にも、女同士であれば何の違和感もなかった。美容女（美容師）や医女（医師）に触られているのと同じようだった。昼も夜も女性しか「見えない」国にいると最初のうち、呼吸する肺がもう一組出来たようにのびのびした。結果、「殺される」と叫ぶ方の私は、少し強引だが献身的なウカといると、ますます小さくなってしまうのだった。でもその一方ただウカに体を委ねながら、世話をされながら、私はやはり凄まじい悲しみに襲われるのだ。それは決して子供が母親に頼りつつも、その一方で呑み込まれる恐怖に震えるという自然なものではない。

ここに来る前から持っていたどうしようもない悲しみ、しかもこの国ではその悲しみを持っている女は誰もいない、そういう孤独感。それ故その時に、――。

**うわーっ。**

と言っているのはガラス越しのもうひとりではなく、まさに私である。とはいえその実体もそうなる理由もまるで判らない。本当に何も思い出せないのだ。鉄道唱歌のような変な知識は意外に蘇っても、またレコードの名前や本の事は覚えていても、自分についての根本的な事情が全部ばらばらなのであった。それは悲しみというより恐怖、ショックか。

最初、ウカを大きくて筋肉質だと思ったが、この国ではそうでもないらしい。全員がたくましいというのではなく、プロテインを飲んだり、男性ホルモンを注射する事が一部で流行っている。一方体が華奢で小さいからと言って「頽廃的だ、男好みだ」と非難される事もないと聞いた。肉体を鍛える事がナルシシズムと同行するというのはこの国でもそうなのだが、ここではただ鍛えるだけで、また肉体、筋肉美の基準も違う。ジムの方がエステより多いとも言っていた。ビルダーの場合も筋肉がつきすぎて男のようになるまではしないのだが、それでも決して男が喜ぶような筋肉質の美女というものにはならなくなっている。――日本の女の体格や胸囲は和服から洋服になった時飛躍的に延びたというし、戦後でさえ足のサイズやウエストは随分向上したのではないか。私は前の国では別に小柄ではなかったのだが、ウカは私が小柄だと言いその事を気にいっているようだった。そこで平均身長の数値を広報の資料で見ると百七十五とある。が、よく考えたらどのような子作りであれ保護牧以外で使う精細胞は日本以外の外国から輸入していて、日本の血はもう減じつつあるのだから、遺伝的にも身長が高くなる事は必然なのだった。なる程混血的な容貌の女性が多いはずだと思う。でもウカの中高の顔や形のいい顎はとても日本的なのだが、その事を言うとウカはまた深刻に困るのだった。

もちろん身長と言ったら女の身長で、体重も胸囲も、一種類しか書いてない。

ここの暦はとても難しい。ウカにいくら教えられても、私はまだ学齢に達していない子供が無理に九九とかをさせられているようだ。建国記念日の死月、死日、死刻、というのも判らないし西暦との換算の仕方がまた、日本の元号に換算する時の仕方とまるで違ったりする。時々あまりのわけわからなさにそれこそ、ヒステリーを起こす。しかしそういう時のヒステリーをここではヒステリーとは呼ばないのだ。オステリーと言っている。というのもここではヒステリーという語はもっと別の意味で使われているからだ。

例えば病院にいた時、ヒステリー、ヒステリー、と私は言われた。が、あれはこの国ではというよりあの場面でさえ、決して医学用語ではなかったのだ。取るべきただしい態度、冷静な自己主張、いわれなき侮辱に対する必要にして十分な拒絶と抗議、主体性のある明るい観察、これらをはっきり表明する事を総称して、この国ではヒステリーと呼んでいるのである。しかもそれらの多くは前の国で男性が女性に対して不快を表しながら「ヒステリーだ」と顔を背けたりする、つまり望ましくない態度とまったく同一の態度について称したものなのだ。現象は同じでもただ解釈の仕方だけが変わっているのだった。同じ単語が同じ現象を指してさえ、「意味」が違う。

日本語を母体にして、ウラミズモの言葉は出来ているはずだ。が、やはりここは外国なのだ。

「あべこべの国と思え」とウカは言うが。

ヘテロの女が敢えて人形愛と同性愛を選択した国、それは絶えざる自覚と緊張感なしには維持出来ない。

入国時の国史、国家説明のアナウンスの、他人事のような軽さを私は思い出す。が、そもそも軽く、他人事のように流しながら、声は言いたい事はしっかり言っていた。つまりきつい言葉を軽く語る事で自分達の悪意の重さを、表現したのである。コントラストを使ってはっきりさせようとしていたのだ。

いつか、というかきっとそのうち私はこの国を我が国と呼んでしまうだろう。

どれ程の時間が経ったのか正確には判らない、でもここで私は次第に健康を取り戻し、知らない国での生活の仕方や文化を教えて貰っていた。

ウカは政府の依頼して来た仕事の打合せにもついてきてくれる。しかしなにかマネージャーのような態度で、私が意向をシャべるとすぐに隣でうんうんうんうんと異様に賛成した態度を取るので「お前の許可がないと喋れないのか」とむかついてしまう。どんな仕事だって自分はひとりでやって来たのだと腹が立って来るが、介護されてしまった上に今はウカが頼りなのでそうきつくも言えない。

こういうボランティア介護の場合は政府の仕事をしているウカなどは特に、有給休暇を使う事が出来るというが、それでも仕事に障るに決まっている。ウカの家は病院の近くで、若い独身者と言っても簡便過ぎるようなマンションにいる。無論、監視役として国が寄越した人材と思えば、献身してくれるこの時間にも情熱にも納得が行くのだが。本人の生活は大丈夫かと聞くと、ウカはまた返答に困るらしい。

日本の少女歌劇のスターのマネージャーなどは銀行勤務を止めて無給で付き添っているケースもあるというが、スターならともかく私などにここまで献身して報われるのか。結婚すればいいという事なのだろうか。

無論、退院時に言い渡されているように別に私にはそんな義務はない。ウカが今までに何度も「振られている」と病院では言っていた。そもそも多くの移民はまず保護牧に溺れ、その後で人形を作るという。が、だからこそここで私がウカを選べば「誰にとっても望ましい」美談になるはずだ。――亡命して人形愛者になるものには国内で作った自分の人形を持って来るタイプもいる。人形作家がここに来るというのは典型的なパターンであるが、少女人形を持ってきて同性愛を、という女性は「ウラミズモの人権感覚にふさわしくない」という理由で最初から拒否される。

「日本だって結婚は打算と自己表現のためだろう、セックスがどういう位置を占めようがどんな体制下だって結婚なんか全部同じだ」とウカはわざという。しかしその上でウカが私を見る目は執着のある目なのだ。但しそれが性愛の執着とは限らないのだ。いや、まず、性愛とは何だろう。私には一番判らないテーマである、――と今打ったが性愛についてそれでは誰が正しい知識を持っているのだろう。

そもそも誰の口からその性愛という言葉は発音されたのだ。――リリアン・フェダマンの「レスビアンの歴史」という本によるとレズビアンの床枯れ（訳語）という現象があり、パートナーを変えない事もあって限りなく淡白になって行くタイプがあるのだという。そしてここは実際にセックスレス国家なのだ。例えば韓国等だと日本の小説はエッチなものを見たい読者に期待されてしまう場合もあるらしいが、ウラミズモの日本古典の受容の仕方は独特なもので、一番翻訳され売れている大衆文芸が吉屋信子、ふたつしかない大学院のその一方にしかない文学科で、最も多く論文が出るのは分離派の提出する森茉莉論だ。

他、性愛ばかりか結婚についても、いくら説明を受けても不分明な国である。といっても私は前の国の結婚についてだって知らないのだ。つまり父と母を見ていて判ったかというとやはり判らなかったのだ。無論、ここでだって判らない。ただ、――判らないなりにここの結婚は何か受容したくなる。結婚というのが掛け値なしに相対的なものになっているせいで。

例えば一致派は結婚を見せびらかすが、この国には人形婚者も多いため全体から見るとカップル文化にはなっていないらしく、未婚や子供のいない人間に「結婚は」、「子供は」、「もうひとりの母親は」、「仮夫は」、などと差し出口するだけで科料を取られたりする。ウカも結婚を焦らないと口では言う。「卵子は銀行にあずけてありますし退職してから産もうかと思って」などと。そしてそれこそが病院で私が笑われた理由なのだ。「性交しないのに子が出来るなんて」と私は言ってしまった。この国ではそれが普通だというのに。――日本でもやって出来なくはないがまあ生きにくいだろうし、外国に出たりすると費用も掛かる。しかしその件の経済的な負担さえここにはない。「滅ぶ事を前提とした」国家であっても、それは心置きなく滅ぶという国是なのだそうで「六十で子供を仮父との間に作ってその後仮父に付けた殺人機能で安楽死したい」という申請が出てもちゃんと審査される。それ故六十過ぎたって体力があれば生めるのだ。そうそう年齢の件であった。

私が今四十代の後半位とする。という事はウカは十以上若い、どころか娘程の歳だ。それなのにウカは私に惚れている。これはどういう事か。――まあこの国の「惚れる」だから通常の惚れるとは違うかもしれない。つまり(ややくどいが)ここでの同性婚というのは、別に同性愛の結婚という意味ではないのである。生活と疑似性愛の社会的パートナーを選ぶだけの行為。その上子育てには人手が欲しい。だから「子育てが大変だから一致派になった」という一層色気のない人々もいたりするのである。

ここでの最大のタブーは男女が性交して子供を作る事。それ故ヘテロのウカがヘテロの私に求めているのはボストンマリッジの一番色気のないの、プラス、子供が欲しいというウカに必要な支え、つまり（疑似）レズビアンマザーの母親役と言ったところだろう。

ボストンマリッジというのはレズビアンという言葉がまだない頃、十九世紀位に独身女性がアメリカで共同生活をしたものをさした。詳しい事は知らないがアメリカの場合はレズビアンの人も中にはいたという。ただ女性同士が性愛的に愛し合うという概念が当時のアメリカではなかったので、女の友情も女の恋愛も社会的には未分化なままで差別されずおおらかに受け入れられていたというのである。男女に関しても当時のアメリカは一部おおらかなところがあったらしく、独身の老女が夜ひとりで眠るのが怖い時など、添い寝して話相手をする（性交その他はしない）職業があったそうだ。リンカーン大統領の母親が依頼していたのは若い男だった。

というのもまたリリアン・フェダマンの本で得た知識である。著者は労働者階級の同性愛女性、確かここでいう学女だったか、若い女のパートナーに子を産んで貰ってレズビアンマザーになったという。出来た子は日本の基準で言うと天才児だったので十代前半で大学に入ったと本人の本の解説にあったと記憶している。

この国ではこの本を歴史の教科書にも大量に引用、採用しているらしい。無論国民に本物の同性愛者は建前上ひとりもいない事になっているし、万が一いたら国外退去させるのだから別に同性愛教育のためではない。女だけで暮らす社会が円滑になるように同性愛という表現形を使い国外に対して団結するだけの事なのである。それ故本物の同性愛者の発言等をコピーし、文化にするという政策を取っている。もちろん同性愛が先天性か後天性かという議論には多くページを割き、但し絶対に結論は出さないで「レズビアンの人々はその時々の体制の都合で先天性後天性を勝手な学説で勝手に決められて来た。しかしそんな学説自体うさん臭い。例えば戦時下かそうでないかでそういう『科学的』研究結果はころっと変わる。どっちにしろ政府の勝手な都合で人の天性を御用学者に決めさせ、いいように個人を仕切って抑圧しに来るのである」と、本のニュアンスをウラミズモに都合いいような書き方に変えてフェダマンの歴史的研究報告のみを使用、その上でウラミズモ政府は「個人の天性をあげつらうのは最低だ、後天でも先天でもそんなのひとりひとりに勝手に言わせておけ」という見解を載せる。しかし結局、国民にレズビアンはひとりも「いない」ようにしているのだ。

まあそういうわけで今になってもウカと私の間には何もない。もしあれば「実につまらない」という疑似性交を冷静にするのだろうがそれがどういうものなのか土台こちらは判らないのだ。それればかりか前の国の性交というのがどういうものなのか実は私は知らない。カマトトではなく、何か異種異族がするもののようで、関心なかったのだ。というより男性が異種のようでまた私の目の前に現れた同性愛の女性も、たまたま男性の変種のようなタイプだったので私は人類から遠ざかって暮らしていたのである。子供の頃は女が嫌いだった。しかし思春期になって自分が女と判ると男が嫌いになった。十五歳まで私は自分を男だと思っていたのだった。その上性交と生殖は別のもので性交は酒や煙草のようなおとなの趣味なのだと思っていた。性交というものがある、と知ってはいたが未だに、からくりは判らない。ただそれが生殖と関係ある事は十代の半ばにもう判った。その時には自分が女だという事を受け入れるしかないと承知してはいたが、どうしても解せないところはあった。というのも、女は「馬鹿で汚くて結婚しかしない」と言われている狭い土地で私は育っていて、しかし親には大切にされていて楽天的な人間であったために、まさか自分がそんな「馬鹿で汚くて結婚しかしない」ものに「なっている」のだとは思いもしなかったのだ。

前の国では男と女が個室に入っていったらそれだけで性交したと見做されるというのが世間と週刊誌の判定だったと記憶しているが、この国は全員女ばかりなせいか、そういう見做される性交というのが発生しない。というか性交というものがない事になっていて生殖と趣味の保護牧に分けられている。官能の絶滅した社会と言うか官能が社会から隔絶したところに置かれていて、なおかつ女性が差別されないという状態である。一致派の不倫には刃傷というか銃撃戦はあっても（銃社会なのだ）嫉妬はない。あるのはただパートナー交替という政権交替のような変化だけだ。問題は友情と子育てなのだから。また分離派はただただ女性が人形とか保護牧に対して好きなようにするだけである。

世間的な体裁と子育ての都合で一致を選んでいる人間がパートナーに隠れこそこそと保護牧通いをしている場合も時にあるのだが、これも嫉妬問題ではなくて金の問題とか保護牧が好きか嫌いかの問題に還元されてしまう。またカップルの一方が通っている上にもう一方も保護牧好きだったりすると競争で堂々と遊びに行っている（ここではおとなが遊ぶ、というと保護牧に行く事なのだ）場合もあり、それだと特に喧嘩にはならないのだ。

まあウカに言わせれば「日本のヘテロだって行動様式から入っただけで要はヘテロ演技集団の世界であり、日本はヘテロ教育をしてるだけのマスゲーム・ヘテロ国家だ」という事になってしまうのだが。また見做される性交の基準についてもウカに言わせれば「個室がどうだ食事がどうだという問題ではない、つまりそれは男の側が見做される性交という基準を勝手に設けて、その場その場で決めて押しつけるだけで、例えば寝ようがねまいがともかく男に部屋に入られたくなく、また男が用もないのに電話を掛けてきただけで嫌だと思う女がもしいても、男は平気で電話するしその部屋にも平気で入ろうとするし、部屋に入った事に性的に意味があるかどうかはその男が勝手に決めそれをまた男社会が支援するだけだ、しかもそういう男に限って自分の妻に男から電話が掛かってきただけで妻が不倫の対象にされたと感じ発狂して怒るのだ。そして結婚してない女は不倫用の女か『女ではない』働きバチだと思っているので何をしても何も感じないと断定しどんどん無神経な態度を取り、その時の都合により『ガールフレンド』または『男女の友情』が成立してると決めつけてくる。そもそも女はもう何をしても男から一方的にその意味を決められしかも男の都合でその意味をころころ変えられ、言いまくられるだけなのだから見做される性交がどうだとかいちいち他の行為と分けて言う必要がない」という事になる。

ただこういう意見は多分ウカ独自のものではない。ウカは教科書に載っている日本観をそのまま言っているのだ。ウカは真面目で丁寧で粘着質、その上いくら文字が日本と共通で日本に留学をしていたからと言って、日本の正字を平気で書いてる奴だ。

日本と縁の深すぎるウラミズモの行う極悪外交のため、日本では日本政府からウラミズモと意図的に混同された本物の同性愛者は完全に弾圧差別抑圧されてしまい、今では他国に逃げるしかなくなっていた。当然とばっちりなのだがウラミズモの人々はそんな事一切気にも止めてなかった。その上ここに誤解して逃げて来た気の毒な（カムアウトをしている）同性愛女性をウラミズモ国民は絶対保護しない。叩き出すばかりかひどい時には日本政府との取引の道具に平然と使う。政府の広報にもそう書いてある。

しかもウラミズモのとばっちりはそればかりではなかった。ヘテロの女性の権利もウラミズモがフェミニズムを僭称《せんしょう》したせいで、日本ではそのイメージが悪くなり後退するところまで後退しひどい事になっていた。

家事ロボットの普及前に女は家に閉じ込められてしまい、男に気に入られた美人妻だけが夫人風を吹かせ、一部のまだ外で働いている女にまで偉そうにするという嫌な国になっていた。まるでアメリカのカップル文化が変態化したもののように夫人だけが外の世界では大切にされた。しかしこれもまたウカに言わせれば「どんな理由を付けてでも男は必ず女を弾圧するのでそれは別にウラミズモのせいではない」という事になってしまうのだ。が、――それでもそれで得したのはウラミズモである。家事ロボットの開発費は政府が事業に介入していたせいで宙に浮き、でも十年単位で取った予算を研究機関は返したりしないため、その分をウラミズモの介護用ロボットの研究に差し向けたのだ。そこでウラミズモ好みのロボットがどんどん開発され、また普及タイプの発達についても、そうやって出来たロボットが人口の限られたウラミズモでしか売れないために買い手市場になり、日本企業はさんざん買いたたかれ、ついに介護ロボットの低価格化が実現したのだった。もっと間抜けなのはただ自分達が儲けたいために監視ロボットや警備ロボットを拵えてしまった会社である。ウラミズモでは保護牧から反乱が起きないために極悪非道な管理体制を敷いているのだが、それに十分役立つものになってしまったのだ。

実は、こういう自分の国の内情も私はウカに聞くまで知らなかったのだった。記憶がない、というよりまるっきり知らなかった。でも何かいうとまた薬を飲まされそうになるのですべて黙っていた。その一方、聞いてもいないこの国の病院の歴史などを私は妙に知っていたりする。そんな自分の記憶を自分でも他人のようだと思うしかない。

まあそれはともかく、――。

ウカが（どういう愛であれ）私と生涯を共にしたいと思っている事は入国時からずっと絶え間なく熱烈に明示されていた。――例えば、病院で検査、審査されていた時の私の声や、医女、入国許可委員の報告の出来る限りの速記を、ウカはきちんとパソコンに入れておいてくれた。自白剤のようなものを使ったのだろうかというと、副作用でそうなる場合があるのです。あなたは自殺し損ねたのだし火傷もしていたので、とすらすら答えた。

読み返して感じたのは、自分でも意味不明のところばかりという事。また国を変えるという事は人の語り、肉声の報告までも変にドラマチックにしてしまうものなのだなあという感慨。普段の私よりなにしろ言う事がデカいのだ。
いや、そんな事はささいな事。つまり最も大きな疑問の方が重要だから。それを、一言で言うと。

**ここはどこだこんなふざけた国が本当にあるのか。そもそも原発はどこだ。**

だって、——本当にここはウラミズモという国なのだろうか。あって欲しいような怖いような、でも慣れてしまいたいが批判も忘れたくない、ああ、今の私には何の有無も判らない。暦もウカも原発もシェルターも、特にシェルターなどはあるかどうかも実に疑わしいし、自分の知覚だって相当に変になっている。例えばウカが若く美しいというのも私がそう錯覚しているだけかもしれないではないか。いや、でもそれでもどう見てもウカはカッコいい。優しい。最近なんだか一緒にいるだけで気が滅入って邪魔だけど。
若くて美しく健康で足が長く、エリートの範疇にいる働き者の女。文学に理解があるばかりかボランティアを越えて献身している、でもだからまさにそれこそ変と言える。無論通俗小説やマンガの中になら、どんな時代にもこういう話はあった。但し主人公の殆どは男、のはず

――。

南の島でも、銀河星雲のかなたであっても、異世界にたどり着いたとたんに彼はそこの首長の娘だとか、まあ村一番の美人に愛されるのだ。でもどうしてそういう美人に元々からの恋人がいないのか、またもてている美人がそんな流れ者をシビアに選別観察しもしないでなぜ寄って来るのか。いやまあ、そういう設定でお話は出来ている。またその美女の方も、村で彼氏がいないいのならもしかしたら、「問題多し」ではないのか等もまさに疑わしい。ともかく、ガイジン好き、マレビトを神扱いするというありがちな設定だ。ただ単に外から来たというだけの人間が純朴な村人にフカしてコマすという事をもし美化すればそういう話にはなるが。いや、それはさておき――。

ただそれを政府がおおっぴらに認め公私混同だとも思ってないこの国の制度は一体どうなっているのだろう。どこの政府だって公私混同の巣だからそれでいいのだ、と言ってしまう事も出来るのだが。要はどのポイントで甘くどのポイントできついかというだけの事だ。そもそも日本などは国から民間まで殆どだらだらとも言えるのだし。

退院してからずっと、政府が用意してくれた家に私は住まわされている。

国がセコいので規模は小さいが、まるで政治亡命作家のように大切にされている。なぜか日本では世界獄中作家連盟の会員だった事にまで勝手にされている。こういう作家が日本にいた事自体が獄中にいたようなものだという論理展開で政府が捏造してしまったらしいのだ。が、それも変なのだ。

原発はともかく、例の特産物とやらは海外の非難のまとだというし、その上男性の人権剝奪をするひどい国家が獄中作家連盟を作る国と国交を結んだり出来るものなのか。そもそも私は前の国では普通に暮らしていたはずなのである。無論、その普通がここでは地獄という事なのだが。まあ国交についてはリーフレットにもあったし近隣の人と以前口を利く事が出来た時期にも教えて貰ったが。

国際法上はどうなっているのか知らないが、ウラミズモという国は国家として不安定な立場に置かれている。他国の認識も実に様々で、海外では日本の一部に過ぎないと思われていたり、そもそも多くの国はそんな名の女人国が実在するとさえ思っていない。イスラム文化圏など笑って忘れたのではないだろうか、国境を接する日本の千葉県等でも村起こしのパフォーマンスと思われている場合があるし、海外ではスポーツ新聞のエロ記事からスキャンダル的大衆誌に転載されるのがせきのやまで、鎖を付けた男や女ばかりの酒場もアトラクションだと思い、デ○ズニーランドの冗談のきついの程度に思っているのかもしれないのだった。要は国交が日本としかなく、外交上は国として認められてもいない。ただ日本政府が国として扱っているだけ。それで二枚舌を使い、よその国の土地だから原発を建てても日本国の市民団体には反対する権利がないなどと、国内向きに言い逃れしているだけなのである。

世界から見れば、国交もない事だしその国は日本の一部である、というか日本の実態さえ、日本製の車や家電をただ買うだけの、海外の一般大衆は知らないのだった。また、その私が未だによく知らない「特産物」を買う海外の人々も、日本が今まで通りそれを輸出していると思っているだけだ。女人国というものがあると知った海外の日本研究家にもここの内実は知らされていない。それ故コミュニケーションは総て不幸なものになってしまう。

一度海外の本物のフェミニストが日本に勉強に来た時にこの国の存在を知り、ウラミズモの不幸な女性や少女を救おうとして侵入して来た事があったそうだ。彼女達はここが例の特産物の工場で女は全部保護牧に閉じ込められているか、或いは女を閉じ込めて女だけにして虐待するために作った国だと思ったのだ。無論、入国と同時に、「誤解は解けた」のだ。それでその女性はどうなったか、――。

「この国が気に入って帰化してしまった」が、「結局発狂して死んだ」とここの本には書いてある。


今私がいるのは海の見える一軒家だ。ウカは始終来るが眠る時と執筆の時はまあひとりである。ひとりに一軒家を貸してくれた上に面倒なその家の手入れはウカが喜んでしているのだ。というのは前の国に比べると楽な状態である。盗聴は多分されていると思う。でも住まいは、情けない事にまさに快適だ。

「取り敢えず」と言われて今いる建物は7LDK、土地は二百坪程、住宅事情は概ねいいらしい。が、それは人口の半分を占めるはずの男性が「おらず」いても狭い一ヵ所に閉じ込めているからだろう。無論、その閉じ込められた男共が無事に生存しているかどうかは判ったものではないが。でもそれはここからは見えないのだし。

住まいの建物はまだ新しく、（或いはリフォーム直後なのか）珍しい色の自然石を組んだ高い土台の上に建てられている。軽量鉄骨で洋間のドアと柱は樫だと思う。リビングや台所だけ床がコルク材、高い天井にキャットウォークがある。以前は猫がいたのかもしれなかった。和室は茶室風のものと客間で、天井に一枚板、客間の床柱に北山杉が使ってある。――家に詳しくないのでいい家なのか見かけ倒しのセコい家なのかはよく判らない。ただ全体の空気流通や湿度の変化を計算してあり、家そのものが呼吸する作りの、百年持つ住宅というものだそうだ。建材は全部日本の大企業からの輸入品、或いは提供品だ。外壁の飾りに貼ったレンガタイルも深い色で、台所のワークトップは全部大理石だし、風呂場には二四インチでケーブルチャンネルの入った浴室テレビがある。パソコンも複数使用出来るようになっている。テレビは日本の放送も入るはずなのだが当然国内のだけだ。

台所の戸棚も寝室の本棚も全部作り付けで、前の住人が置いて行ったというしっかりした家具も残っていた。原発に土地を提供した住民がその代償として与えられた家の中の、一番セコいショボいものだという話なのだが、元々その土地は農民のものだったはずで、まあ国家を名乗ってから何年か占拠していた代償なのだろう。というわけでこれだけの設備があったって、原発すぐ近く、だ。

家は以前に人形婚の分離派が住んでいたらしく私の来た当初は家具の跡の他に、仮夫（または仮父）をどかせたらしい跡があった。人形の形に抜けたように壁が汚れているのだ。気になる程汚いのはそこの部屋だけだった。しかしその汚れも埃だけで、ウカはたちまちきれいに拭いてくれた。

「離婚で出ていったんです、前に入った時、書類のコピーがありました、役所に申請してきちんと廃夫処分にしていったようですね。でもくそ真面目な人だなあ。捨てていけばいいのに。まあぶっ壊れた手足が残っていたりすると気分悪いからね。

この家の元の持ち主はね、人形を置いてすぐに飽きて放置したんです。中年過ぎて自分が一致だと気付いた人ですよ。子供がいなくて良かったと思いますね。大体分離で出来た子を元々から一致の女のパートナーが受け入れるかどうか、見るたびにきっと苛々しますよ、私ならそういう結婚はしたくないな」――この類の話をする時、ウカは満足そうだった。

大量の書物や衣類を私は持ってきていたらしいのだが、起きて動けるようになった時にはそれも運び込まれすぐに仕事に向かえる状態になっていた。こういう事をウカは全部ひとりで手配してくれたらしい。但し荷物を見ている内にもまた疑問は湧いてきた。私はこれを自分で整理した記憶が一切ないのである。それどころか、何か纏め方も荷造りも異様なのだ。何個かそのままの箱を開けてみたら小型金庫と一緒に使いかけのティッシュボックスと醬油の跡のある大皿が梱包なしで箱から転がり出た。紙の植木鉢のようなものも入っていたがそれが手に載せたとたんにぼろぼろになった。時計の乾電池からは汁が出て固まっていたしプラスチック製品の色が異様にあせて、薄いピンクだったのが透明に近い汚い紫になってしまっている。いくらなんでもウカはこんな荷造りはしないだろうし。

誤解のないように言っておこう。住環境が良いからここにいたいという事ではない。つまりこの国に来て初めて私の存在自体が光に晒され、肯定されているところが私を和ませている。そこでついつい騙されたままになってしまうのだ。とはいえ、――。

有名な元テニス選手や芸能人が入って来た時はもっといい場所のいい家で暮らすらしい。そしてもっといい場所というのは要するにここのような奥地ではなくて原発から遠い、国境の方だ。日本では皇居に近いところが高級な土地、でもここでは原発、つまり神殿から遠い程地価が高いのだ。また、国境に近い場所にすぐ住むような人々はいわゆる志操堅固な人で入国前から分離、一致を自分で決めていたり、亡命してから日本のテレビにも放送される記者会見をするような重要人物である。但しその会見が日本で真面目に扱われる事は絶対ない。深夜のH番組で使うか、犯罪者を報道するようにして、ワイドショーでやる。ここで起こった事は決して日本の大きい公的メディアには載らないし載っても必ず性的な蔑視を込めたスキャンダルのように取り扱われるのだ。それ故この国は日本のあまりものを知らない頭のふやけたマスコミ男達から誤解され支持される事さえあるのだった。――というのも、特産物の事を言いさえすれば彼らの理性は完全に飛び、政治も経済も体制もまったく理解しなくなるから。ウラミズモ、と言っただけで彼らは特産物の事しか言わなくなってしまい、鼻の穴は開き頬は紅潮し、人の話の内容は何も聞かず、ただただ自分の好みや欲望を垂れ流すのだそうだ。――「それを責めても無駄です。日本のオスは性的な単語しか聞いてません、彼らに言語や文脈を教えるのは無駄な事です」とウカは言った。

「与えられた」家は庭も整っていた。まだ若い生け垣は全部ヒイラギで地面は最初芝だけ、他には門のところにシュロのような大木が一本あるだけだった。広い通りに面し同じような切妻屋根で、大きなベランダのある建物がいくつも並んでいた。植木や仕様は少しずつ変えてあるが分譲地の一画だろう。与えられたのはその中の一番日当たりのいい角地なのだ。設計も建築も女だけで建てた家だと言っていた、たまたま歩いていて見たがブルドーザーの運転は女の操縦で工事は機能ロボットがやっていたし、例の介護ロボットの応用があれば他の事も可能ではあろうと思えた。ただ、「全体」の事は私には判らない。そもそも情報はウカ経由、訪問も今では全部ウカを伴ったものだからだ。ウカは車で来る。が、車どころか歩行も困難な私の外出出来る範囲はせいぜい一マイル圏内。

　私が元気になっても同じ事だ。ウカは始終来て、そして彼女がいなくては生活出来ないようにして帰って行く。来るたび広々した庭に自分で買ってきた花を、自分の庭のような感じで嬉しそうに植える。濃い緑のナデシコ、真紅のヤブカラシに似た蔓草、タコのように疣《いぼ》のある花弁が何十にも分かれた濃紺のハイビスカス。萼《がく》が人形の形にぷっくりとふくれているアンスリウム。配色が正反対の花を幾何学模様で植えて、ツナギにこの国では一番無難とされるワニの置物を置いて庭を埋めていく。元のシンプルな庭がいいと思うのだが何も言えない。――ここに来てすぐにこの庭で真っ白の蝿を一匹見た。垣根にとまったまま死んでいたものだ。真っ白の蝿を別に怖いとは思わない。日本人だった頃、首都の西端でピーマンの葉の上で死んでいたところを見た事があるから。そこには、別に原発はなかったから。

こういう関係のままだから仕方ないと思うが、時々、ウカは快さの中に少し刺《とげ》を混ぜて来る。水晶夢を見た後、「寿司を持ってきてあげる、ここのだけど」と言われて喜んで待っていたら、見事なしいたけをレモンで押したもの、梅酢でしめた白い薄いコンニャク、青紫蘇でくるんだアボカドが寿司飯にのっているの、等を並べてくれた。この国の名物だというのだがそれを私に食べさせて見ているウカの目は笑ってない。私がああアナゴと中トロだったらいいのに、という顔をしていたからかもしれなかった。

イチゴ煮（ウニのすまし汁）という言葉が病院の速記にあったからと言って本当に野イチゴを煮て持って来た事もあった。意地悪かディスコミュニケーションか未だに判らないが「ほら、清く正しく美しい過激派フェミニストは菜食をします、地母神を拝みます、原始共産制です」などとツクった事をいってけらけら笑う。他国にいるなあとその時も思った。

「私がどこにでも連れて行ってあげますよ」とウカは言っておいて、その後は分離派の家には連れて行ってくれない。無論保護牧に行こうとは絶対に言わない。あまりに嫌がるので私は却って知りもしない保護牧に行きたくなってくる。自分が男を見たいのだとはとても思えないが。

自由と言っても彼女と政府によって、私はこの住宅街に閉じ込められているのだ。学習するデータは無論ウカを通した政府提供のものだけであるし、電話は国外にはかからないしパソコンで見られるものも制限されている。国の全体像は捏造かもしれない図式と数字、そして学習用チャンネルやイヤホンから、これも捏造かもしれない映像が流れ込むだけだ。自分のいる家の家電は新しくて大抵のものはあるが、一歩外に出ると訪問先のオーディオが古臭くごついのや車がボロなのに今さらながら、ここが日本ではない事を思い知らされる。その上何か、うしろめたい。そもそも私の家の家電は最先端技術国のはずの日本よりもはるかに進歩していて、そこが不思議である。ウラミズモはともかく、「謎だらけの国」なのだ。

　まあ別に前の国だって生まれてから何十年も住んでいた割りにはどういう国なのかここに来るまではよく判らなかったのだから、ここが判らないのは当然と言える。しかも判らないままで十分に生活出来るのも前の国と同じだ。むしろここに来てから私は進歩したのかもしれない。というのもここに来るまで自分がどういう国に住んでいたかどころではなく判らないという事さえ意識してなかったから。

　ともかく、未だに二百メートル歩くと息が切れる状態だ。またそれより自分の意識が、記憶の曖昧さが恐ろしくて外に出にくい。快適さに慣れると逆に、例の病院からも引きずって来ていたわけの判らない悲しみが襲って来るし。

　当分外出は止めておきましょうなどと言ってウカはいつの間にか人の寝室で昼寝をして帰ったりするようになっていった。ウカの鼾はでかく、そののびのびした様子を見ているだけで疑わしくなる。これは私がウカをパートナーとして受け入れるかどうかという以前の問題だ。

　その上、――記憶を変にされたという疑惑、消えるものではない。

　ウラミズモが人を変にし、洗脳するという事は日本のスポーツ新聞にはいつも載っていた。但し、それは酔って、或いは失職して海岸で寝ていたような不細工な男が、美しい女数人から誘惑されて保護牧に閉じ込められ「さんざんな目にあった」というパターンばかりで、しかも男は大金を貰って無事帰って来たというものであった。現地妻との間に出来た子供がウラミズモで無事育っているなどという後日談まであり、「男手がないので引っ張りだこだった」、とか「フェミニズムの国なので若い女ばかりか幼女までが積極的でたじろいだ」とか実にスポーツ新聞らしい大嘘が書いてあった。そして誘惑された男達は全員ウラミズモのシンパになるという。が、その一方そんな作り話ではない本当の日本男洗脳だってあるかもしれないのだ。

もしかしたらここは女の国ではなくてただ女性患者だけを集めた精神病棟ではないかという疑問もたまに私を苦しめる。でもそれは気分いい状態の前に消えてしまう。

私は私と関係のない事がどうでも良くなってしまう。でもその事に気付くと気分いいままに絶望してしまうが、それも気持ちいい絶望だ。

与えられた仕事は神話の書換えと旧母国の文学批判だった。神話の方は準備期間が必要なのだが文学批判の方は既にせっつかれている。前の国で言うと村起こしに呼ばれた文化人のような扱いで、家にはやたらペアになった年配の官女（公務員）が来る。ウカの休日に合わせて打合せがされ、新しい紙幣のデザインを神話的にしたいというので一度だけ国の会議にも出席させられた。ここでの私は「ウラミズモ国際化委員」というものにも任命されているが、そのネーミングで逆に、よく知られてない国だと判ってしまう。――神話については少し待ってくれと言うのみである。とはいえ、私はそのあらましや趣旨を入国前に全部完成してこの国の重要人物に説明したのだという（本当にそうなのか）。

しかもそのテーマはイズモ神話の復権と掘り起こしであると、それで日本の古事記とは違う系統のポリネシア系神話を作ってみせると、本来はそうであった部族林立的な女社会の実態がその掘り起こした神話の中にそっくりそのまま再現出来るとぶち上げたそうだ。さらにそれを歴史的学問的にやるから予算を寄越せといい、雅楽以前の楽器の状態や、佐太神社が出雲大社とイデオロギー闘争していた頃の規模を調べる、だの演説したそうだ。しかしここに来てみると要求されたのは史実ではない。文学で、というよりはまあ発狂した巫女のように幻覚を見てそれなりに早く、「神話」をやってくれというだけなのである。

無論、見た「幻覚」を使って神話を書くというのも訳の判らない話なのだが、水晶夢が会話の中に頻出するこの国の人々には判っているらしい。

この国では作家は比較的優遇されるようだ。とはいえたいした優遇でもない。例えば近隣の住人と少し前、ウカに警戒されるまでは口を利く事が出来たのだが、その時は何かわけ知りな顔で「ステータスだけですかね、結局」などと待遇や家の様子を尋ねられた挙げ句に納得されてしまった（私を見るとこわい顔をして逃げてしまう人や握手だけして側に来ない人の中で、その住人は、唯一まともにしゃべってくれた。しかしいつしか発狂して入院してしまい、いなくなった。「途方もなく変な事を言ったりするので発狂と判った」とウカが顔を顰めて教えたのだった）。

つまり作家は物質的には無論そんなに恵まれるわけではなく、私などは神話関係だから、「官女」であるから厚遇されるのだ。

この国の官女は日本との取引や特に原発の利得があるはずなのだが概ね金は無く、実権をにぎるのは特産物の生産に貢献した女性である。成人後の彼女達には特権が与えられ殆どが運送や建築、また原発関係の会社を起こす。多くは分離派になり、保護牧でも派手にふるまうせいか目立つという。ただエリート官女が政府から保障される待遇は日本の高級公務員並みだというから、確かに一部はむかつく存在であるかもしれないのだ。

家の貸与等で私が受けている待遇はあまりにも特例的なものだと既に知っている。

一度などは家の前に街宣車が来た。無論メガホンで怒鳴られたのだった。私を罵る以外にもいろいろ演説した。サングラスを掛けて手を後ろに組んで立っていると男とあまり変わらず大変怖かった。ただ演説の声はしゃがれていてさして凄んだりはせず、言う事をその場で考えているような調子だった。でも何人もで立っていて全員の顔が怖く、姿勢も殺気に満ちそこが恐怖なのだ。彼らの怒りは神話なんか作られたら迷惑だという事ではなく政府が私を厚遇している事に集中していた。――他の演説内容はまず原発の利権を一致派が隠しているという事、分離派の介護ロボットをただにしろという事、保護牧の値段が高いので許せない事、日本との国交を断絶し北欧と結んで日本を攻めてしまえという事であった。なぜか私は一致派政治家の寵児だと思われていて、それ故「分離派の神話的根拠を侵す」と中で一番弁の立つらしい女からそこだけは神話問題で怒鳴られ、しかしその後の彼女の論調は他の人と同じで、ウカまでも官憲があてがったオンナメカケ（ここではメカケ的な事をするのは全部男なので女に言う時は上にオンナと付ける）だと罵られた。――その時はウカもいなかった事だし自分でも実情がどうなのか判らないので家に閉じこもって耐えた。でも日本を攻めろという彼女らの陰で、日本の政府が糸を引いているともウカは後で言った。家の前になんかよくも来るよなと呆れ果てたが、何か自分の立場が判った気がした。

家は政府の所有でも私はまだ治療中という事で光熱費や自分の生活費を払うだけだ。しかも治療が終われば「官舎」として使用出来るのだ。安い賃貸料を払うが望めば買い取る事も出来るという。

仕事でここの作家女とも交流したが、多くは新しい国にふさわしいタイプ、というか書くことがありすぎて発狂しそうな人々ばかりだった、国と自分の関係、国に移民した体験談等書かないでは死ねないという事であった。にも拘わらず中のひとりが「文学は終わった」というので仰天して咎めると、それは日本における男性文学が全部終わったという意味の事を本人が日本通の人なので純粋な日本語で言ってみただけの事であった。

眼鏡をかけ、ぼさぼさ頭でよく肥った青白い肌の彼女は日本の事をとてもよく知っていて、そのせいでみんなから変態、とか「お前なんか保護牧に行って日本のテレビ見てろ」とかいちいち苛められていた。文学の事で自分に関係ある事は正確に記憶に残っていたが、全体についてそれなりに覚えていたつもりの文学事情と、彼女から教えられた事情はまるで違うのだった。私の記憶は何十年分か消えているらしいのだ。自分の年齢がまた判らなくなった。いやそれはともかく、――。

ある時から、――日本では男性の書く文学が終わり女性の書く文学が始まろうとしていた。

が、男性には女性の書くものが判らなかったので、文学は全部終わったと男性は思った、それで日本の男性は女性の文学も一緒に滅ぶべきだと思って文学を支えていた制度を全部廃止した、というのが肥った彼女の話の要約である。また中には少し位日本の女の書く文学を判っていても、女に後を継がれ女に王道を行かれ、自分達が傍系で細々続くのは不快だと思ったので、腹いせというか八つ当たり的に「文学は終わった」と言うのもいた。だがそれならば自分達だけが終われればすむ事なのだが、なぜかまるで彼らは発狂した兵隊が自国民の女子供を負け戦のついでにやつあたりで撃ち殺して行くように、まだまだ生きられる女の物書きも殉死させて大見得を切ろうと思ったのだった。

もともと日本の女性作家、作家女は、女流と呼ばれ蔑まれる事が多かったので自分達だけで独自の意見を言う機会が少なかった。多くの評論家は女を一段下に置いて纏めて仕切るために女流と呼び、時代毎、年毎の文学潮流を書くと、総論の中には女を含めず、女ひとりひとりの個性を見ないで済ませるために男の後ろの欄に「女流」と纏めた。

男達は「時代が変わっても女はいつも同じだ」と言い、また時代の変化に対応して何人かの女が世界の最先端文学と共振したりすれば、「日本の男性作家の影響を受けただけ」と言い、また女が実験小説を書いて新しい方法論を使ったりすると「判らないでやっただけだ」とも言い、さらに女が自分の体感から独自の表現法を開発したりすると「(男の偉い)哲学者の○○の理論通りですよく勉強してますね」と褒めてみせた。挙げ句にそのたかが哲学の図式からはみ出たところを切って捨てようとするか、または細部を読まないのだった。男達は女の小説の影響を受けたりした事は完全に忘れ、自分らが独自に開発した技法だと思い込み、気にくわない事があると美人にはすべただと言いブスにはぶすだと活字にし、公の場所でまで言うのだった。要するに女の作家が何をしていても見ようとせず普段からずっと女の作家がいない事にし、仲間外れにしながら、都合のいい時だけ「文学は」という言い方でずっと仕切って来た。

十年ひとつのテーマを研究しまた絶えず男の作家を批判し続けて来た女がもしいたらその件をずっと知っていながら男達は男同士で対談をし、「このテーマが研究をされた事はない、また自分達は批判された事がないから正しい」などと茶番の意識すらなく大声で言い合うのだった。無論、女の作家のする事を判ろうとする男はいくらかはいた。が、そうすると今度は「女が書くものを男は判らない、判らないから褒めるのだあれは女性差別だ」などと言い始める女学者をちゃんと前に立てた。その上で馬鹿男共は「あなただけがフェミニズムだやっぱり文学に意味はないのだ」と件の差別的女学者を持ち上げて持ち上げる事で両方の女を仕切り満足するのだった。また女の評論家を呼んできて「文学の使命は終わった」と言わせる事もあった。そういう評論家はたとえ女であっても「男だけが人間」だと洗脳されていて、例えば「終わった使命というが誰に対するどの文学の使命ですかそういう程あなた方は女の文学を見てきましたか、大体女の書く事はいつも同じだと言いながらその同じ事に終わりがあるというのはどういう事ですか」などと聞き返す事もない。

女の作家はそもそも近代の日本語の文章構造から殆ど排斥されていた。自分達の事を語ろうとしたり自分の物の見方を語ろうとしてもどこかで男の気に入るような書き方をせざるを得なかったり、従来の日本語を使っていては狂気のようにしか見えなかったりという疎外のされ方をしたからで、また真面目にものを書いても全部エロ関係かヒステリー関係の意味を押しつけられ、それも男に都合のいいエロ・ヒステリーの解釈をされた。それでも個人の才能の力でつまりそれぞれの女の作家が理科的な論理や勝手ないい回しや異様に改行のないセンテンスや、映画の手法を取り入れる事等でくそたわけた日本語の構造を突き破り少しずつ前に進んで行ったのだ。そしてそれを全面的にやれば文学は続いたのだが、日本で望まれたのは男性文学の延命ばかりでそれ故に最後には、「意味がない」ものが「くだらない」が故に称賛されるようになった。というのも意味がなければ新しい意味によって男が圧迫される可能性もないというわけだし、くだらなければ女がとって代わる事は出来ないからだった。

男が言葉を変えようとする時はやる気も書くこともない故のその場しのぎだが、女が変わった言葉を求めるのは、そうする事で自分にふさわしい世界を言葉で作りだして自分こそが生き延びようとするためだった。が、それら女の作品は男の遊び半分の文学に似ているかどうかという点だけを判定の基準にされた。

その上女の作家のかわりに文壇に導入されたのは女性の意見を代弁すると称して女の感性を商品にするためにだけ調査して振りかざすロリコンライターだの、「文学は終わった」という立派な学説に奉仕している男性的な女学者だけであった。つまりそこにいる女をだまらせておくためにだけ作家女以外のどんなくだらないものにでも喋らせてみるのだった。

また女の文学の可能性に気付いたふりをした男の評論家は「これからは少女マンガが文学

だ」という女イコール商品的な視点のすり替えをした。しかし少女マンガの中に押し込められていたものや少女にしか許されなかった女の隠れた面が文学の素材になっていくだけの事なのにそれを当代の売れる文化に限定するのだった。このようにして、様々なしかも無自覚で馴れ合い的なだらしない手を使い、才能のない付き合いのいい、にこにこ笑う袋小路な男の手で新しい文学は葬られたのだ。それ故に、――。

日本の文学で残っているのはその時にウラミズモに移民して来た作家女だけなのだ。――悲しい事だが、私は前の国の「忘れていた」文学状況をそうして教えられた。

とはいえそうして日本の女が書いていた小説について憂えてくれたのは大体日本から来た年寄りの一世か日本に留学した人間である。この国しか知らない二世、三世になると何か緊張感がなく、生活のために保護牧ものを書くとか「分離派の女を好きになってしまった一致派の女の悲劇」などというメロドラマをやるのもいる。メロドラマの結末は大体本当に同性愛者なのがばれて、国外退去にされる直前に一方が自殺し、もう一方は保護牧で荒れるという結末になっていたりする。保護牧も一致派も日本になかったから新しい文学だというのだけれども、その割りには読むとステロタイプなのだ。

ただし、なぜか、――この、厚遇されている「亡命」作家にメロドラマ世代は奇妙にも友好的である。要は「地獄から脱出して来た人」として気の毒がられ怖がられているのだろうと思う。神話に関しても全員好意的、もし旧神話がぐにゃぐにゃにされその中から埋もれていた過去の社会や意識が出てくるのならそれを創作に応用したいと言ってくれる作家までいた。ただそれはひとりだけだし明らかにお愛想が入っていると私にも判った。というのも、――。

その場にいたのは日本から与えられた神話など改作せねばならないという意見の人だけ、反対派の人は「たとえ日本からの神話でも使い方次第だ。政府の見解が入った新神話など陰謀に過ぎない」という意見でそういう作家達は招かれてなかった。

ともかく私は水晶夢を使って新しい神話を創出するしかない。日本神話を解体する方向で書換えねばならない。それは国の正史となりここの教科書に採用される。と言っても別に「この国の精神生活と現実制度の総てを支えるものになるというわけではないのでどうぞお気楽に」と何度も怖い顔の女達から言われたという程度。観光地でこの神話を宣伝に使うだけとやらで。というのも、――。

国の規模が何しろ小さいのと歴史が浅いのでもうひとつ国らしい感じが出ず、それ故独自の創作神話で対外的イメージアップを計ろうというだけの事だそうだからだ。国家事業が村起こしレベルにしか見えない状態なのが国の国らしさにダメイジを与えていてそれが政府の悩みという話である。随分贅沢な悩みではある。

歴史は浅いのに経済も発展し国民の勤労意識、礼儀、教育のレベルも高い、と私は教えられていた。そもそも犯罪者（特に性犯罪者）が殆どおらず、例の「特産物」とやらと保護牧を別とすれば道徳的国民だ。軍備にしたところで他国の軍隊の駐留とはいえ女ばかりの兵士の士気は高く、規律もよく守り犠牲的で勇敢。ウラミズモのための災害対策から人命救助までこのリストラ軍はシンパのように献身的で、栄転のため日本に呼び返そうとしたら自殺してしまった女性が何人もいる。というわけでそのどす黒い国力はここの資料で見る限りとても滅亡を前提とした使い捨て国家には見えないが、――いや、それ故にまた神話は必要なのだそうだが。

平常の観光用ばかりではなくここでは最終的に滅亡時のためにも神話は必要でそれを想定して書かれねばならないという。国民が納得して滅亡出来る話を。しかし、――。

滅亡前提の国といいつつ、女達は血色良く子供も増え続けているのだった。

会議に出た時に自分が作ったというレジュメを見させられた。いくら入国したかったからと言ってよくここまでやるなという程壮大な目的と意義ばかり並ぶごたくまみれのもので、その割りには粗筋だのキャラクターだのというお約束事はゼロだ。しかもなんだか私ではなくウカが書きそうな感じで国是に沿っている。またその「総論」を見せられて相手からどういう順序で神の物語が進行するかを示せと言われたらまるで反射のように私の口からは、――物語ではない、いい、いかに書くかだという怒りの言葉が出た。その上そう言ってみると何か記憶も薄いなりに、自分自身が取り戻せたような気がしたのだった。また相手からもたちまち、そんな粗筋は文学の判らない人間から予算を取るためのものなのだから勝手にやればいいと言う答が返って来た。そこで一層私は自分を取り戻したと感じ、面白くなってきた。ところがそういう心境になった私がまずじっくりと考えようとすると、そもそも、神話から国家思想を立ち上げるなど当の神話制作委員会は一切考えてないと気楽そうに言っているくせに、その言い方と逆に怖い目つきになってせかすのである。他にも前の国家の作った世界観の呪力を破るものがあればいい、それにはなんと言っても「地獄を見て来た人間にその地獄から湧いた幻覚を見て貰う事だ」と言われたりした。国のプロジェクトにしては柔構造で、私にそこまでまかせると小説と同じになってしまうがと不安を告げれば、相手はすぐ、いや責任は殆どないのだとひきつり笑いする。

まあ地獄と言われても困るが、そう言えば自分は神話を書こうと思っていたのではないかという記憶が次第に寄せて来るようで、会話している内に、「日本の土着の神は全部蛇です。蛇の巫女が蔑まれず、日本で姿を見えなくされた神々が復権するようなものを書きます」などと、イタコの口寄せのような感じで喋っていた。すると確かにそういう事を何度も言ったような気がしてきたのだった。

そもそも粗筋などという一貫したものは自覚的極悪非道国家ウラミズモではそえものなのだそうだ。そんな背骨のような迷惑なものはいらない、タコがぐにゃぐにゃする時の動き方のように猫ノミが蔓延して部屋を跳ね回るように、なんとなくそこら中に蔓延しそうな、神話を拵えろ、ストーリーは付いてくるというのである。再構築というのではなく、ただもうぶっこわし尽くした後のものに言い訳を与えるような感じでやってくれという。

日本で言う「脱構築」という奴ですか、とも私は政府の関係者に何度も聞いたのだ。が、「そんなアカデミックなの駄目です」とにべもないのだった。日本から亡命したばかりだという学女（オンナの学者）くずれのライターがここでは政府の官女になっているのだった。そして何を聞いても、――「方向性はなんとなく」、「図式は放棄する」、「その上で日本を見ているだけで、ああ意味がないとはっきり思えて、ホロぶ時に楽しくホロびたくなるようなものを」と言われるだけだ。神話関連は親切フレンドリーな割に、なぜか本心の読めないタイプばかりだった。――なぜかここの学女の発音するアカデミックという言葉はこの国では最低の馬鹿、という意味でしか使われなくなっていて日本語とは意味の違うものであった。

　前の国では文学に意味はないという論文ばかりが文学の専門の雑誌に載り、そこでその論文を採用している人の年収は作家の数倍もあったりしたと記憶していたが、それは私がここに来る何十年も前の話らしい。今の日本ではフィクションを個人の裁量で真面目に書くという事すらもうなくなっているという。サブカルは模倣するものを失い表現の自由すら失ってしまい、今ではウラミズモの特産物を使った海外の批難の的になるマンガ混じりの、コントやゲームだけが残っているそうだ。

　奇妙な事に私はここへ来てから、ペンネームを変えられた。変えられるというより前の、つまり日本名をウラミズモの言葉に翻訳するとそうなるのだそうだ。ここでの私の名前は火枝無性という。どういう意味かは知らないが建国の功労者と同姓同名だと一応教えられた。かえむせい、とか普通なら読むだろうに、読み方はひえだなくせである。

　しかし「なくせ」とは何だろう。うしなえ、という意味なのだろうか。

　生きる場所はある。ウカがいてくれる。しかし私の立場は一体どんなものなのか。神話が必要だという認識がなんとなく政府にあり、観光と少しの国威発揚が同行して、私はここにいる。

夏も涼しいウラミズモの今日は曇り日である。灰色の空を、もう見慣れてしまった形、観光地にはひときわ多い鰐のアドバルーンが横切っていく。それは黒い翼のある真っ白のワニ。真っ白な体のところどころ黒い小さい斑が入っていて、その事で却って弱々しく見える。口が魚のように尖っているところが、ちょっとサメっぽい。それはこの世界で言うところの「ごく普通のワニ」だ。「ほらワニが」、「ああ、はははははワンパターンだなあ」——アドバルーンは無論垂れ幕を引いている。その垂れ幕に。

**新国家誕生おめでとう。**

とあるが本当に建国記念日なのか。

ここの暦はまだどうしても判らない。

## 3 ぬえくさの　女《め》にしあれば・なえた草のような女だから

ここの暦がやっと判るようになった。何度も繰り返して日を数えてみる。随分と長く入院していたものだ。私が全てを確認し終えた時ウカは泣いた。そして一旦は私の元を去って行ったのだ。私の仮夫が家に来た時に。でも彼女は今「いてくれる」。というのも今の私が――。

**うわーっ。**

彼女なしにはとても暮らせないからだ。ウカと私とはまだパートナーではない。でもウカは私の世話をしてくれ、執筆の環境を整えてくれる。一緒に食事して一緒に風呂に入る。いつ死ぬかもしれない私と共寝してくれる。私は収入の総てをウカに渡し、仕事は全部ウカを通して受ける。私に手が掛かるためにウカは働けない。彼女が倒れた時はぎごちない動きで私が看病したが、家事の軽いものだけを私は受け持っている。まさにボストンマリッジの色気のないやつだ。しかし決して私達は夫婦、正確なウラミズモ語では婦婦ではない。死ぬまでに籍を入れるべきか、それとも養女にするか、ともかく、遺言もしてここで得た全てのものを彼女に残したい。とはいえ、「養女にする位なら結婚すればいいではないですか」というのがこの国の常識だ、というより養女縁組と結婚届けの用紙が共通なのだ。どうせセックスレスの夫婦なのだから。というより、結婚していて養女を取ると重婚罪に該当するのだから。

家はすぐ引っ越した。日本との国境にあるずっと安全で前のよりまだ広いミーハーな洋館だ。ウカが見つけてきた。私が自分の本当の立場に気付いてまもなくの事。

日本では新しいタイプの女性作家と称せられつつ一部の女性からだけ熱狂され、また殆どの男性からは笑われ、嫌われ、蔑まれてきた私の著作物は、ここでは、本当は、――全てのベタの王道を行くお常識文学で、私は既に、政治的に正しい「国民作家」に祭り上げられていた。様々な事象や私に対する人々の不可解な反応を総て私はこの不測の設定の下、誤解して取っていた。というより事実を伏せられて接しられていた。そのせいで解釈不可能コミュニケーション困難な事が続出していたのだ。まず「最初スポーツ選手や芸能人の方が優遇されていい家にいる」と思っていたがあれは本人達に資産があるからで、また原発に近い田舎に私を住まわせたのも国民の熱狂を目にした私がプレッシャーを感じないようにするためだったという事であった。病院で私を皮肉っていた審査官はきちんと「反権力」をしているつもりだったし、医女は極端に世間知らずなだけだったのだ。
実は国民は私が目覚めるのを期待し待ち続けていた。それこそがこの国での最大の関心事だったのだ。最初に私との交渉に当たった学女も日本に慣れていて、つまり私にフレンドリーに接する事が出来る程に、度胸のあるタイプをわざと選んであったそうだ。それではそこまで気を遣ってもらった私は幸福か。

**うわーっ。**

観光用の神話を適当に作らせると、入院中の私は聞いていたはずだ。が、それは日本の記憶が尾を引いたままの錯乱した頭で、勝手に解釈して付けていたニュアンスに過ぎなかった。しかし実際はそうではなく、ただ最初私の誤解していたそのニュアンスを生かし、私に出来るだけ時差ボケ的ショックを与えぬようにし、その後少しずつ覚醒させて行くという段取りだったのだ。つまり、私はまさに神話作者としてその自覚を待たれていたのだった。——ここでは、神話なしに国は成り立たないのだという。
国を国とするには日本から独立した神話がいる、国民がそういう信念を持った、いや、持たされた国家だった。それ故入院している間に私の発したうわごとも全て記録され、ただちに国を神話的にするために使われたのだった。例えば今、国中の庭にウラミズモの神獣ワニと共にウサギの置物があるのはそのためだという。

今ではウカは家にいて一日中私ににこやかな視線をあてている。でもそれは一言で言ってとても邪魔だ。でも逆らえない。そして「邪魔だ逆らえない」と私がここに書いても、また彼女にそれを無理に読ませても、或いは例えば彼女の作った豆腐とゴーヤの炒め物にランチョンポークの細切りが入っていないと叫んで私が皿をひっくり返しても、彼女は少しも怒らず、それどころか赤ん坊に向けるような微笑みを私に向けるだけだ。

あっという間に、ウカは太った。体の線はもうどう見ても女性である。日本に慣れた私を「ひっかける」ため最初は「男らしく」してたのだそうだ。それに比してこの二三年で骨が一層老化し、私の体はひとまわり小さくなった。今の私はウカに抱っこされて背中を撫でられただけですぐ眠ってしまう。一日の大半以上を寝て過ごしている。が、日本より不気味に発達している医療と自分では後ろめたいVIP待遇のせいか、この年齢にしては驚異的に元気だ。国家功労者、無残な事に我が国の国民は私が建国者と合作したその創作神話によって、私がいつかノーベル賞を与えられると信じ込まされている・ひどい。

二百坪ある新居の庭は既に、ウカが雇い入れた植木職女達によって、ワニ型とウサギ型に刈り込んだ常緑低木樹と、反対色を組み合わせた派手な花壇で埋め尽くされていた。

私が一致派か分離派かつまりウカが秘書なのかパートナーなのか、という事は人々の関心の的ではある。が、こっちはそんな事どうでもいい、というより判らない。女性のセクシュアリティが「自由」なこの国に来て一層自分が何者かが判らなくなったのだ。魂にもしも性別があるのならば、私は最悪の場合「自分は男だ」と言わなくてはならないかもしれないのに。しかもそれは即国外退去を意味するのに。――ウラミズモに紛れ込んだ本物の同性愛のカップルが自分達の恋愛や官能を隠すように、私は自分の魂の事実をここにいる限り隠さなければならなかった。それればかりか、――。

この国のおぞましい欠点についても私は少しずつ理解し始めていた。というより、「もしかしたらそうかもしれない」という疑惑について、少しずつ想像し始めてもいた。そもそも国やマスコミの欠点を批判し戦うのは作家の仕事のひとつなのだから。そしてもし私の知らされた事が事実ならば、ここは批判すべき国なのだという事。しかし同時にどう考えてもここは私の国だ。そもそも「自分の魂が男かもしれない」という事態を私は今「最悪」と表現したではないか。

ウカが私に特別な飲み物を勧める事はもうなくなっていた。それでも私は水晶夢ばかり見るようになっていた。最近では「現実」と「幻想」の区別はウカに聞かないともう判らない。私は「暦を読めるようになった」、つまりはこの国のなりたちを理解するようになった、この心境を何と表せば良いのだろう。

目覚めなければ良かったと思いながら救いだけを摑み、知らなければ良かったと思いながら幸福感に包まれ、どうしていいか判らない癖にもう悩まなくていい。

私にはもう何の問題もないのだった。悩んでさえいない。

ただ混乱しているだけだ。そしてその混乱の中に身をひたしていさえすればそこからはたちまち、いくつものあまりに細密な、もう本当かどうかさえも判らなくなっている長い記憶やここにきた明白な理由等が浮かび上がって来て――。

しかしそれでたちまち考えが纏まりそうになると同時に、前に引き戻される。

私、私、私、――私はあらゆる事を思い出し様々な出来事に遭遇し過ぎたのだ。報告記などという悠長なものを書いていた時期もあったはずなのに。ウカと暮らそうと思った事もあったはずなのに。私は最初からクルっていた。今もクルっている。しかしそれでは、――。日本にいた時はクルってなかったのか。日本はクルってるそれじゃこの国はまともなのか。

**違うこの国じゃない、我が国だ。**

私が我が国という言葉を使う回数はどんどん増えている。それも私が悩めば悩む程に。

**うわーっ。**

どこだってそうなのだ。あらゆる国々に合わせてそこの国民は各々にクルう。「どうかしている」事、それがそこでの平穏な生活を保つ唯一の方法なのだ。どんな場所ででも。

「ウラミズモの移民志願の人で途中で嫌になって帰った人はいない、またここから日本への移民は絶無である」と広報にとくとくと書いてあったはずだ。当然ではないか。帰れば殺される。――男に人権のないウラミズモだ。国交があるのに日本のスポーツ新聞に、ありとあらゆる下品な嘘を書かれて笑われるウラミズモだ。日本のロリコンならそれは好意的だろう。しかしそれはロリコンの身勝手な好意なのだ。また総てのフェミニズムから縁を切られたきったないフェミニズムは、日本国内では時に仮想敵、時に裏切り者だ。知っている人は当然の事、知らない人もそれなりに敵視をする。ここの国民が外に出た時、受け入れてくれる市民運動の団体さえひとつもない。その上日本のウラミズモシンパはウラミズモから捨てられた民には当然冷たい。そればかりかある宗教団体などは同性愛でもなんでもないこの国の事を、平然と「ゴモラの町」などと呼びならわすのだ。無論本物の同性愛の方もがんがん攻撃するような団体なのだが。

国交はあるのだから移動は出来る。が、国境を越えるとその団体がいて、まず棄民に塩をまく、一歩国外に出たらここの国民は「怪物」で「犯罪者」だ。結局男達はリンチし易いものにリンチする事を望んでいるのである。当然就職などまったくない。

そもそもいくら日本語と単語が共通でも、言語の中に男を主体として表す言葉が殆ど存在せず、全部「保護牧」とか「ひゃひゃひゃひゃひゃ」で済ませてしまうウラミズモ語を使い、男がそこにいるとしても家具やゴミと同じように扱う事に慣れてしまっているという国民ばかりなのだ。出自を隠してもすぐばれるだけだ。いやそれ以上にここでの「人間扱い」を一度経験した女には日本のどんな職種だって勤まらない。ウカとて留学時は出自を完全に隠して、女子寮から女子大に通っていただけだ。それでさえ日本で暮らす事は「人間として生まれ、また一旦人間になって、その味を覚えてしまった女」には地獄なのだ。

たとえ地生えの、ネイティブの人間でなかったとしても、ウラミズモに一日でも帰属すれば、もう後はない。それどころか自分の意志で帰属したのだから帰れば憎悪と蔑みと暴力の対象になる。きったないフェミニズムにケガれた国民。百歳の女性でもウラミズモの民であれば日本では石打たれ蔑まれ強姦されリンチされるだろう。ケガれながら許され続けてきた「犯罪者」として。そう、我が国、ウラミズモは女に押しつけられたケガレをキヨめ返すための聖域だったのだ。しかしそこを一歩出れば、――。

日本の文化は男が女にケガレを押しつける事で成立している。ウラミズモの全ての教科書の第一行目には必ずそう書かれている。そしてここは女が人間である・人間とは女である、唯一の国だとその二行目に書かれている。

そういう国の神話を私は書いた。但し、――。

架空神話である以上変則的な事がいくつかある。まず普通の神話なら神代から人代「開祖」へと時間移行する。しかしこの国の場合、まず「建国」が先にあるのだ。「建国」したその後自分たちの神話を探し求めるさまも記録に残す。教祖の功績のひとつは、つまりその神話の発端を見いだしたという点なのである。そして私はその国の由来を体系化する人であるが故に「偉い」のだった。

この国には公式には「物語」という語はない。例えばストーリーだけを取り出して小説を評価する事を人は蔑む。やむを得ぬあらすじというものがもし出来るならば、それは全人的必然性と呼ばれ、常にストーリーは人間性や動機に従って発生するものという建前なのだ。それ故、神話もまず教祖の苦しみから始まるのだった。

ウラミズモを建国した教祖はそもそも神がかりの女だった。ひとりの女によって作られた宗教世界が、この国の核心であり発端だったのだ。なるほどそれは確かに原発を建設させるためのインチキ宗教であるかのように日本政府には受け止められ、それ故にこそ政策的に受け入れられたのだが、それでもウラミズモは実際ひとつの信仰によって生まれた国であった。そしてそこのウラミズモ神道、と自称されるただの「妄想」はここに国家主権というものが本当にある以上、まさにシリアスな国家宗教なのだ。——私はまずその最初の教祖がトランスに陥った時の単なる幻覚を古代神話に繋げ系統化したのだった。

原発建設の予定地にされたそこに建国女（建国者）達がやって来た時、教祖は既にトランスを経験しひとつの「神託」に基づいてこの地を選んでいた。ただしその選択には実は何の運命的根拠もなかったのだ。その根拠をも、無論私は創作したのだが、それはずっと後に述べる事にする。ともかく、そのトランス状態で見た夢の事を教祖は乏しい語彙の中から水晶夢と名付け、ビジョンによって成立する国家というものを成立させたのだ。つまり、その夢・宗教的ビジョンと共に国家は生まれたのである。

教祖の夢に顕現したその神の名はミーナ・イーザ。イザナミを逆転した神、という自覚は教祖自身にもあった。

女神ミーナ・イーザは中空に逆さに浮き胸に死んだ赤ん坊を抱え、「私は南から来た」と言った。神は官女の着るような青いスーツを着て無理に小さいサイズの青いヒールを履き、そのヒールの圧迫された足からは血が流れていた。流れた血の下に新国家があった。その血の照り返しの中に原発のある地図と文字が浮いていたのだった。小さい小さい見取り図や教祖がこれからどうすべきかがそこには書き込まれていた。まず「原発と引換えに国を作れ」とあった。

当時の教祖は、「自分は本当は男だ」と言い張る女の信者に取り囲まれており、教団の行き詰まりから錯乱した彼女達に殴られ取り囲まれ追い詰められていた。が、ある時教祖は鼻血を出して倒れその結果ミーナ・イーザの新国家を見たのだった。幸か不幸かそのビジョンと、そこに続く一連の教祖の叫びが、信者達の追い詰められていた心理を平静に戻した、というより一層の狂気に引きずり込み、彼女らは「行くべき道を悟った」のだった。

神はいる神を見た我々独自の神だ、と教祖は叫んだ。神が見せたのだからその神の国は実現するはずだとも。しかし原発と言っても夢想の中に現れたものに過ぎないのだ。そもそも、――夢占いの本等を見ると原発とは「危険な感情を封じ込めた場所」という解釈がある。つまり心理的な読みをこの「神託」に与えれば「本当の気持ちを抑圧して妄想に閉じこもれ」という意味と取れたかもしれなかった。が、教祖はそういうふうには解釈しなかった。

つまりその教祖に向かいミーナ・イーザはこうも言ったのだ。

「私は裏返しの神、国を解体せよ、しかし今はまだその時ではない、閉じこもれ」と、そして

「閉じこもりの国を作り、あちこちに作り、神話を裏返せ、その後排泄の神を呼び、隠蔽された全てを白日に曝せ」とも。また「イズモに行けイズモを裏返せ真の女が現れる」とも。しかしこれらはあからさまに言えばただの支離滅裂である。

　しかも一見ふいに教祖の脳内から現れたかのように見えるミーナ・イーザのそういうイメージ、姿形も、実は教祖本人の想像ではなかったのだ。以前教祖は人形教室に通っていて似たような人形を見た事があった、ただその人形は赤ん坊を抱いてなかったそうだ。作った作家の名はヒヌマ・ユウヒ、私もその人形作家の名だけは聞いた事があった。但し彼女はずっと以前に失踪していた。

　教祖は過食から拒食に移って一旦は死にそうになった女だった。が、その後持ち直し地方都市の街頭で演説を始め、その土地でもっとも勢いのあった宗教団体を攻撃し始めた。「女という性別はない、人は全員男だ」と彼女は最初主張していた。そしてあらゆる左翼団体や宗教団体のパンフレットから「大地を守る女」とか「母と子のために」というようなステロタイプのフレーズを指摘し攻撃し続けていた。彼女のまわりに集まったのは地方都市で「婚期を逸し閉じこもった処女」や「夫から逃げようにも実家が受け入れてくれなかった人妻」、「親から自由になりたいが進学はしたい女子高生」、「仕事を辞めてどこかに行ってしまいたいが東京に出たりするのは大気汚染が危険だから嫌というＯＬ」、「生徒に殺意を感じてしまうので学校に勤められなくなった女教師」、「死ね、という言葉が口癖なのに老人介護をしなければならなくなった熟女」等だった。

教祖は名前を龍子と言うだけで、出自も姓も自分では名乗らなかった。以前、幼い頃に、国家成立のために男性がねじまげた神話を奪還し正史に戻すための試みをしたのが、彼女の信仰の始まりだったそうだが、それは世間的に見ればただ単に教室で排泄したというだけの事であった。が、その時に彼女は世界からはじき出され、この世には適応出来ず永遠に観念世界を、また幽界をさ迷う事になり、そこから常人と違う真理を掘り起こす五感を得たのだった。この件について彼女は自分なりの神話解釈を一応持っていた。その核心にあったのは日本では抑圧されているイザナミに関連したエピソードだった。火の神を産んで火傷し、弱ったイザナミは苦しんで吐き、大小便をする。その各々から神が出現するというくだりである。――例えば日本の神話のこの部分にあるミズハノメという女神は、元々はイザナミの尿から生まれたと古事記にあり、流れで言えば排泄の神になってもいいのに、単なる火伏せの水神にされている事を教祖はまず指摘した。

教祖は言った――古事記にはこのように女性の本来の姿を抑圧するところがあると、また古事記を読んだ女の作家などがあたかも柄のないところに柄をすげるようにして、「古代の女性はたくましく男女差別は実質上なかった」などというがそれは自己欺瞞なばかりか、男に媚びていると。つまり男の作った歴史書の記述に真の女を見いだしたいのならその資料的な批判から始め、まず古層を掘り起こさなくてはならないのだと。無論日本書紀などはもっと差別的だと。

そして、古事記の方が確かにましはましだとも、その点を指摘した本居宣長は実は女だったとも。その上その古事記をさらに今女は変えなくてはならないとも。もし、――それをしないのなら神にそむく、と。またどのような歴史資料を使うとしても、その中の若い美人や特別な女だけがちやほやされているところに全体を代表させたり、あるいは男に都合のいいだけの性交を行っている女が性欲を肯定しているので自主性があると言ったりしたら地獄に落ちる、と。古事記も当のかたりべがいくら女でも、もしも書いたものが男寄りならばそんなのは女大学の著者のような、奴隷出身の奴隷商人のような存在にすぎない、――と。

ミズハノメは体が不自由でイザナミの尿から生まれた。その彼女が竜神とされた事も教祖は女性への抑圧と見た。教祖によれば、竜とは渡来系の、空想上の、卑小化された農耕水神に過ぎないのだ。

「排泄を抑圧され大地から切り離され空に浮かべられた妄想上の女神、そういう不自然な姿を竜という浮わついた生き物で表している」、と。「しかし本当の女神は空には住まない、女神は天を、権力を全否定するべきで、その代わりに本物の海や大地を支配する女神となるべきだ」、とも。「大地に根ざす」というような言葉を教祖は嫌った、女を大地に縛りつけたり女本人を利する事のない搾取的農作業に縛り付けるための言葉だからというのだった。大地にいる以上は大地の中心、頂点に女はいるべきだと。――但し古事記によれば同じ尿から同時期に生まれた、ミズハノメとの姉妹ペアにしか思えない女神ワクムスビは、まさに大地の中心メジャーな農耕神トヨウケの母となっていて、また自身も若い力の神とされており、つまり正しく扱われている部分もあるはずなのだ。しかし教祖はミズハノメが単なる竜神とされた事の方を重視し、というよりそもそもそういう抑圧された女神がひとりでもいた事を問題化し、またワクムスビ本人ではなくその子を本格的・中心的農耕神にするという事も、代替わりという一種の「浄化」にすぎず女神自身の忌避される出自を紛らわそうとする行為と見た。そして女神自身の由来も神社の縁起書に書かれず、ただ効能だけ産業振興の神とされたりする事の方を問題視したのだった。まあ新興宗教の中にはこのようにひとつの問題を過大視する事で改革を目指すものがあるという事なのだ。

教祖は言った。

「まずこの竜神を現実の世界に生きるよう作り替えて、奪還する事だ。尿とは、排泄とは宗教的、ミーナ・イーザ的な意味では人が目を背ける捨て去りたい行為を象徴したものだ。だからこそ避けがたいひとつの現実を私は排泄と呼ぼう。するとその当事者である事を引き受けないものたちは、当事者であろうとするものを蔑み、笑う。その結果自覚的にその現実の矢面にたったもの達はケガれたものとされ、いなかった事にされる、ケガレは汚物以外のあらゆるところからも来る。しかしケガレをケガレと呼んだのはそれを引き受けたくない怠けた軽薄な人間達であり、彼らはそれを最終的には不自然に下位に置かれた人間に転嫁しようとする。だがこの下位に置かれた人間こそ実は知的で現実感覚に富み、論理と美意識を正しく働かせる優れた民なのである。日本において、またわが国以外の多くの国においてそのケガレを受けさせられるのは女である。つまりケガレは汚物そのものではなくケガレと真面目に対峙しそれを片付けよう或いは引受けようとする真摯な人間に対してする差別黙殺なのだ。それ故優れた人間、女、がもしも誤った腐った国に住めば、このようにご都合主義の馬鹿男共から下位に置かれ、一生無視され黙殺され、騒げば邪魔にされ声を出せばうるさがられ、用のある時以外は或いは若い美人以外は見えない存在にされる。しかし私はこれからは女だけの下位だけの国を作り、全ての人間がケガレと平等に対峙する社会を産み出そうと思う」と。教典にはその後こうも大書してある。

**「聞け、私の言葉の中から国が現れる。その国で初めて女の姿はこの世に現れる。大本教の出口ナオは、ウシトラの金神《こんじん》を、悪方位の忌みの神を便所から拾って最高神とした。このあり方は正しい。私は以前自分の魂を男だと言った。だが今私の魂は男ではない。私の魂の実相というのはこの世に未だかつてなかった真の女である。そのような女の現れた国こそ、裏返しの国、恨みの国、出雲よりもクロいウラミズモである」。**

この発言によって、ウシトラの金神を崇める歴史的行為はあっという間に出口ナオだけのオリジナルとされ、それ故金神信仰の根本にあったとも言われている、男系の九鬼家と九鬼文書は完全になかった事にされた。まあ出口ナオはそれを便所で拾ったというのだからそこは九鬼家とは違うのだと思うが。——真の女というこの国にとってもっとも重要な語については後にも出てくる。

排泄という言葉は龍子にとって、社会から全否定された女性的存在としての自分を守るための、過激な武器だった。性や生理に関する言葉を彼女は最初使わなかった。しかしその後性や生理を彼女は排泄と同一視した。また女の排泄を喜ぶごく少数の変態の男を殺すよりも全男性を一度に抹殺する方が簡単だと断言した。

教祖は決して学識のある方ではなく、無論精神はアブナく、宗教的な知識はその手の団体を渡り歩いて得たものであった。

元々教祖龍子は一致派系統ではなくて分離派系統（当時は分離派等の名称もなく国家の指針も曖昧であったのでこのように記す）の人形愛者だった。最初教典のようにして音読されていたのは「ガラス生体論」という小説の一部で、そこには人形国家を成立させるためにリンチ殺人を行うという描写があった。それは殺人という背徳行為によって、またその殺人を新国家の死刑執行であると言い拵える事によって、新しい国家を成立させるための呪いが成就したのだという内容のもので、ピルグリムファーザーズのようにして人形愛者達が船出をし、新国家を建国するというビジョンが書かれていた。

殺人はひとつの集団の新生のために、また今までの国家との縁切りのために行われた行為だった。つまり罪を共有する、人肉の生贄を立てる、人柱にする事で「前の国」のあらゆる神事からもモラルからも彼女らは自由になろうとしたのだった。新たな国を創設せざるを得ない程の背徳こそが新国家を作ると龍子は解釈した。

「ガラス生体論」は人形作家ヒヌマ・ユウヒを巡る作家火枝無性の思い出の記で、出版直後にこの火枝も失踪したとも、或いはまったく別の人格になって名前も変え別の人生を送りはじめたなどとも言われていた。その作中には隠れ住む人形愛者達の生活や彼女らが人柱を立てて新国家を作った事の他に、人形国で行われる人形少年と女の結婚式や、人形の葬式が少しだけ記されており、最後の章に、作者は「自分自身がこの本になった」と書いて消息を絶った。しかし「作者がその本になってしまう」とはどういう事なのか。——それまでの人格が本の中に吸収されて別人になったという解釈も出来るし、また狂気の中で書物の国に旅立ち、作者であるが故にひとりの登場人物に感情移入するなどという中途半端な事も出来ぬままに、本の世界全体と同一化するような狂った意識で一生を終えたという意味かもしれなかった。

この書物に会うまで教祖龍子は自分の魂を男だと信じ、男に転生するための修行を続けていた。男として男の夫を持ち男性だけの社会で暮らすような天国があり、そこに行くための修行をさせると称し、少女マンガ家やその関係者からカルト的に支持され、その近辺で生計も立てていたのだった。しかし火枝の作品に接して考えを変えた。

「自分は男ではない、そうではなくて真の女である」、というのがその転換であった。——そもそも日本社会で生きている女は全て偽者に過ぎない、そんな女達と性質が違うからと言って自分を男だなどと思い込んではいけない、と判ったのだ。但しそのような錯誤もやむを得ないと思い罪とはしなかった。というのも、——。

まず第一に日本の女は人間として遇せられておらず、常に見えない存在にされてしまっているからだ。もし一部の賃金が平等になろうが家事が楽になろうが、つまり選ばれた女がどれ程優遇されようがその事態は変わらない、女はそこにいない。見えない。あるのはただ女の幻だけで、この幻に仮装した時だけ女は男の目に入るものになる、どれだけ働いても、どれだけ独創的な事をしても、いやそうすればする程に見えなくなる。仮装を纏った時しか存在出来ない。そして妻や母や娘、女流、またしなやかでしたたかなフェミニズム、或いは偉い男性学者の女弟子、偉い男性作家の女弟子というのがこの滑稽な仮装である。多くの女はこの仮装を無事に全うする事に失敗する。それはそもそも仮装自体が非常に無理なものだからで、またなぜ無理にしてあるかというとそもそも日本ではケガレを押しつける存在としての女が必要とされるからだ。ケガレを押しつけられる女はこの仮装を剝がされた存在である。

　仮装は男がいつも簡単にはがす事が出来るように男の恣意的な規則によって点検される。例えば「タバコを吸う女は売春婦だ、男を批判する女は更年期だ」と言った具合である。つまり売買春の買う側を免責するために発生した売春という言葉はそのまま婦という言葉に自動的に接続されて、女の側だけにケガレを発生させる装置になっている。また更年期を男がケガレと考えるのは生まない女は役に立たないという視点からで、経血のケガレとは別種の、つまり全人格に亘るケガレを押しつけるためである。

　他人の妻や娘、他人の母親はその夫や息子が権力者でもない限りは、その庇護者がたまたまいない状態であれば、ケガレを押しつける事の出来る見えない存在になる。しかもその妻や母や娘は家庭の外ではその夫や息子や父の手でケガレから守られる場合があるというものの、家庭の中では彼ら自身から家庭のケガレという別種のケガレを押しつけられる。またもしも家庭の外で妻や娘や母親がケガレを負うた時、そのケガレが男にとって耐えがたいものとなれば、或いは外の男の手によってケガサレれば、男達はすぐにその妻や母や娘を廃棄し、自分にとってケガレていないものと取り替えるのである。

　その時元の妻、母、娘は誰の目からも見えなくなる。ケガレを押しつけられると女は見えなくなるのだ。

　男はいつも恣意的に女を見えなくしたりケガしたりする権利を持って生まれて来る。どのような女を売春婦と呼ぶかどのような女を更年期と呼ぶかそれは男が恣意的に決定するし、また別に相手に対する罵倒語を使わなくともただＯＬとか芸者、と女の労働者を区分けする語を言うだけでも、また女子高生、などとただ呼ぶだけでも言いようによっては女にケガレを押しつけ、その姿を見えなくする効果がある。例えば作家女を女性作家と呼ぶ時、たとえそういう女流よりはましな呼称で呼んだ時でも、男が呼べばその女達は見えなくなる時がある。

　——男の自分を捨ててしまった後、自分の従姉妹や母や姪に龍子はまずこう託宣（説明）した。

「女が自分を男と思おうとする事は殆どの場合はそのいやな立場から逃れるためである。しかもそもそも今まで、実は女というものもどこにも歴史上存在しなかった、それは真の人間として遇されて来なかったが故に実体も個性もその実相を表す事が出来なかったからである。つまり今の世のままで先行モデルもなく、真の女になる事は大変困難である。そこで、真の女が現れる世の中を作れとミーナ・イーザは言った」と。

同時にまた龍子は目前の女性達の現状を否定せず不安を取り除くためにこうも称した。それは神の言葉ではなく独自の言葉だった。しかし神の言葉を解釈し現実に当てはめるのが自分の仕事だと龍子は思ったので自分で付け加えたこのような言葉も神語とした。

「女は存在しない、しかし今現に真の女がいないとしても失望したり卑下したりしてはいけない、日本の女の多くはただ仮装の病に侵されているだけで、もしウラミズモの国民になり祈り続ければやがては真の女としての実相を表す事が出来る。真の女の祖ミーナ・イーザを崇め、もしも仮装に苦しめられ侮辱されたひとりの女がそれを自覚し、真の女が現れる世の中を作る事に力を尽くせば、彼女は真の女として新国家に転生する事が出来る、現状を憎め、呪え、恨め、真の女の幸福は負の感情の中にしか胚胎出来ない」。

さらに彼女はこうも命じたのだった。つまり、「母にして母でない超越した存在、しかも生きながら黄泉の女王であるこの女神の分魂を自分の分魂とし、ひとり一体の像を作って拝め」と――分魂という言葉はワケミタマと読む。但しこのようなワケミタマ観は神話混沌状態の初期のものである。理想の自分とも、真の女になった時の自分の姿とも取れる存在であるので、ひとりが一体ずつ持つ事になる。ひとりひとりが独自の信仰を持ちながらひとつの国家にいる事を象徴するために、「同じ形だが別々の個々の所有となる」ミーナ・イーザのコピー人形を持つと一応決めたのだ。信仰で統一された国家というのは、実はひとつの神を拝む国家という意味ではなく、それぞれが自分の神に祈りながら、祈りのシステムと祈りの目的が一種類であるという国家だった。教祖はさらに言った。実はそれこそ重要な言葉だった。――「私の神語がもし男から発せられたのであれば、それはただ全ての生きた女を単に全否定して脅かしたいだけの言葉となる。つまり男は当事者ではなく当事者意識もなく最初から免責されているつもりだからである。しかしもし女がこの言葉を発語すれば自分をも含めて全女性がまだ実相を現していないという意味になり、自分自身がその言葉を引き受けるという意味になるのである。そしてそれは全ての女が平等にケガれ、平等に見えなくされているという事実を指摘した、真理の言葉として生きるのである」。

とはいえ教祖も実は真の女をどう実現していいのかが判らなかったのだ。つまり龍子にしてみてもそれがどんなものなのかまだ一度も体験しておらず、なった事もなく、歴史上もそういう世界はないと一旦は規定してしまったからだ。つまりそれはひとつの理想、観念としてしかまだ存在していなかった。だが少なくとも教祖である以上その方向性を示しその線上にあるような生活を送らなければならなかったのだ。

しかもただ祈るだけでは共同体まで作って生活様式を変えろという事は出来なかった。修行や戒律に該当するものがここのコロニーには、なかったのだった。

そこで、――。

男の対立物としての女、という概念と、男の従属物でない女、という概念を並立させるために龍子は今まで「男同士の愛のパートナー」として可愛がっていた青年の人形を処刑したのだった。観念の世界の中で龍子はそれまでは男だったから、人形の廃棄は龍子にとって男の廃棄を意味した。そして新たに「男がそこにいない、男がどこにもいない」という意味の新しい男の人形を作った。この人形は前の人形が男の写真をモデルにして作られていたのとはまったく異なり、まさに人形らしいのっぺりとした形をし、前の人形にはなかった性器が一応作られていた。新しい人形はあくも癖も個性もなくただただ凡庸に美しかったし、最後までどんな名前も与えられる事はなかった。つまりいない男には固有の特徴など必要なかったからだ。彼女はこのでくのぼうをかえりみる事はなく最終的にはそれを山に捨てた。

龍子は建国の地を最初旧出雲、島根県に設定しようとした。が、どの地を選ぶかという託宣はなかなか下りなかった。ただミーナ・イーザが「イズモに行け」と言った事だけが確かだったのだ。が、ある時、その龍子の視野にヒタチの古い言い伝えが入ってきた。そこにはウラミズモの領土に今は含まれているサカツライソ○キ神社の縁起が書かれていた。

その縁起の中の、ただ、出雲の神が常陸に顕現したという点に龍子は着目した。しかしそれは常陸に新原発をという新聞記事を見ていたせいで、そこから「神の啓示、奇跡の符合」をひねり出したものだ。なので、龍子はただこう言った「イズモがヒタチにあった」と。

「ミーナ・イーザの言葉の通り」原発が常陸に出来るという確信を持って以来、教祖はふさわしい海のある地形やそこが買収し易いかどうか等を執拗に調べ始めていた。そして程なく、各々の男性不在人形（今は仮夫と呼ばれているものの原型）を連れて結集した数少ない信者達と、そこに移ったのだ。

「ミーナ・イーザを現す赤い血とヒールの形の岩がその土地にあった」、と教祖は託宣したが、それは見ようによってはヒールに見えるでっぱりのある、赤土の付いた岩に過ぎず、でも結局社会性のない小さい宗教団体の信者全員からは「奇跡」として受け入れられた。そして、たまたま彼女らの住んだ土地は原発予定地になった。といっても最初は原発予定地から何キロも離れたところにいてその情報を手に入れると同時に移動したらしい。むろんそれまでに予定地は激しい反対にあって転々としてもいた。そんな中でうさん臭い物狂いのコロニーはたちまち用地買収の一環として目を付けられ利用されたのだ、さらにそれを教祖は自分の見た新国家の夢とリンクし果《おお》せた。

ここのトーテム、黒い翼のある白い鰐は教祖が夢に見たその姿を、無名のデザイナーだった信者の女性が、言われるままに描いたのが元になっている。ちなみに教祖にとってこれは現実世界に奪還された竜の姿である。昔、現実世界にいた時、竜はワニだった、日本神話にある「ワニ」という語を無理に引いて教祖はそういうのだった。

というのもワニは陸と水を自由に往来するから。しかもワニというのは日本神話で陸から来て最初の大君の母系先祖となった海の女神トヨタマヒメの化身ではある。但し日本の通説ではそのワニとはサメを意味する古語という事なのだが、それをハンドバッグのワニにしてしまうのがここの教祖の解釈であった。なる程神話は南から来たのだから、起源を遡れば本物のワニに行き当たるかもしれない。が、ともかくウラミズモの気候でワニが生きるのは無理だ。まあ当地は温泉で有名ではあるから、国営でやたらワニ牧場も作ってあるけれども。

陸と海の両方を支配する神獣ワニ、そのワニをさらに空に浮かべるために黒い翼を付ける。そうすれば空を否定しつつ、同時に空をも含めた全世界を支配するようになると龍子はいうのだ。

このワニに翼があるという事は教祖の「リアリズム」だった。つまり翼もないのに空に浮いているのは非科学的だと、血も通っていない竜は駄目だという理屈なのだ。というわけで、奪還された「竜」は血を流し排泄し、その排泄物は土地を豊かにし、その死体も肥料になるべきで。――また黒はやむを得ない悪と無理に押しつけられたケガレとを昇華する涼しい夜の色で、白は全てを破壊し尽くした後の曇り空の色を現すとされた。

鰐はまた黄泉から帰って来たミーナ・イーザ自身の本性でもあった。産褥の血のケガレと靴に象徴されるモラルを強制され、そこから受けた被害故に足から血を流している女のワニ。

ウラミズモ神話の最初の部分はこのような龍子の矛盾をも含むイメージに沿って既に形成されていたものなのであった。こうして、日本神話のイザナミとイザナギの国産みの神話はウラミズモでは国滅びの神話に変わる事になった。

とはいえ、教典にはただ国滅びの神話によって我々の怒りは正しくなり、男から押しつけられたケガレは清められるだろう、とあるだけでミーナ・イーザのビジョンばかりが鮮明である。結局教祖には一貫した論理、理屈を作る事も、ディテールに神話的リアリティを持たせる事も出来なかった。そこで私は古事記を逆転させ、日本神話と表裏一体の存在という意味で裏出雲神話と名付けた創作神話のイメージに基き、独自の国滅び神話を形成したのだった。無論今語った教祖の伝記も私が監修する形で若い学女達が体裁を整えたものを発表しているのだ。

さて、元になった古事記の国産みの部分だが、――一応ここに記す。世界の始め海の中の小島に立つイザナミとイザナギが神話的交合により世界を産み、悪い子は処分し、良い子だけの国を成立させる話である。この本来の日本神話において、――。

国産みの過程で火の神を産んで弱って排泄しイザナミは死ぬ。その女神を追ってイザナギは黄泉の国に行くが、変わり果てた女神の姿に驚いて逃げる。そしてヨモツヒラサカという黄泉と現世の境界まで追って来た女神と敵同士と化し、問答する。ところがその問答で世界を滅ぼしたい女神が言葉で負け、世界を繁栄させたい男神が勝ち人間が増えて行く、これが日本神話の正しい形である。しかしウラミズモの神話は全て逆になる。

天地の始まりの時、最初に生まれた異形の神ヒルコ等の「良くない子」を海に流したりする事は日本神話の大切な要点である。ところが我が国の神話ではそれらは決して良くない子ではないとされ、女神は悪いとされた子を庇いつつ子供の出来は自分の責任ではない事を堂々と言う。そして女神がその子達を抱いて逃走するところから神話が回り始める。無論、本当の日本神話ではヒルコは葦の船に載せて海に流し、その後「正しい方法で」つまり男が先に声を掛けて世界が産みだされるのだ。――この不完全な子の後で完全な子が出来るというパターンはポリネシア等の国からつまり南方から日本に伝播したと言われている。それは日本に文化の伝播するひとつのコースなのだ。しかしこの神話を私は間違っていると、つまりウラミズモのモラルに照らし、「政治的、歴史的、神話的に正しくない」としてしまったのだ。

「女が先に声をかけて良くない子が出来た」と女に原因を求めるところがインチキだとした。無論、もし真面目に神話を研究するとしたら、「女が先」とか「良くない子」と言ってもそれは神話上別の概念を意味する、或いは別の出来事を象徴するものかもしれないのだが、その可能性については切り捨てておいた。教祖の真意を私は受けたのだ。龍子は男中心の世界に対して神話を使っていいがかりを付けたいから付けているだけの確信犯であって、それこそがまさに正しい建国神話のあり方なのだった。

　そもそも現存する国民に対して発行（ウラミズモの神話は貨幣と同じように発行されるものなのである）される神話は常に当の国民がもっとも関心を持つ解釈に焦点を絞り、当の国民の人格や人生を肯定する形で改作されなければならなかった。元々神話のベースになるのは軽い呪術や巫覡《ふげき》の凡庸な夢見に過ぎず、しかしそれを人々が共有し国家的に解釈し大きくした時に神話になるのだと私は思っていた。

　神話はその国の人間の意識や行動のパターンの規範であるように設定されるべきで、それを全ての行動や心理の中心に置く事で――国の、家族の、個人の建前も心境も感情の流れまでもツクッて行くのである。そういう意味では民主主義などうわついた竜のごとき理念である。

　私はウラミズモの国家理念を地に付けるため、日本神話を解釈しなおし、「日本に眠っていたウラミズモの魂を掘り起こした」のだ。解釈は恣意的にするべきものと、もし神話を奪還しようとしたら、自分達に都合のいいように奪還するしかないと開きなおっていた。

　と言ってしまうと身も蓋もないようだが、一方で私自身はその解釈の中に一抹の誠実さを盛ったつもりだった。つまり日本神話が男性に都合良く出来ているのならばそこを追求して訂正し続ければ、その一面だけでも古代の真実に至るのではないかという希望を持ったからだ。

物語の辻褄の合わないところや男性権力にとって都合よすぎるところは、例えば大政翼賛的な言説を批判するようにして読みとけばいいと。人物の矛盾や事件の安易ささえ追求していけば、当時の国家権力者の抑圧は自ずから浮き上がると。そこを突けば神話の真相はあらわれるのだと、——思ったのだった。

なるほど、「女が先に声をかけて出来た子を祝福したい」、というのは教祖の悲願に過ぎない。しかし一方、ここへ来る前の私はむしろ神話を読み解いて古代の事実に近づきたい、というよりそれを切実に想像し小説に書きたいと念じていたのだった。

それ故に「招聘」されてしまったというわけなのだが。

龍子の考えでは、「女が先に声を掛ける」事は日本では排泄と同じようなケガレとされた。——そこでこのウラミズモのイザナミ、つまりミーナ・イーザは、「悪い子」とされた子を抱いたままだ固まってもいない、海とも陸ともつかない国中を逃走したのである。そして夫に追われて次第に力尽きて来た。

ミーナ・イーザは逃げた。逃げた後には国土がないままに道だけが現れ、国も生まれぬままに方位だけが生じた。するとそこには道の女神サルタヒメ、方位の女神クニトコタチヒメが出現した。しかしどこに逃げても生者の国はすべてこの男神の支配下である。そこで子供とふたりで黄泉の国に住まう事に覚悟を決めた。ミーナ・イーザが黄泉に隠れずっとここにいると宣言すると、まだ産みだされていないぐさぐさした国土が黄泉とそうでないものを分離する機能だけを持ち、ヨモツヒラサカの周辺が固まり始めて、あいまいさを残した境界線だけがこの陸には出来た。そこからは岩の女神イワナガサクヤヒメやあいまいさの女神クロヌマククリヒメ、半分人間のような女の神々も出現した。どの女神も男に気に入られるような姿形のものは一柱もなかった。そこでヨモツヒラサカにその大岩を建ててミーナ・イーザは黄泉に閉じこもった。黄泉には親切なヨモツシコメ（日本の神話では黄泉から逃げたイザナギを追いかけて来る悪鬼のはずなのだが）がいてミーナ・イーザを助け、子供を可愛がった。イザナギは諦めて一旦は帰った。

　その後のイザナギは人間に性交の仕方を教えたというセキレイをぶち殺し、魂のない女の人形を拵えて女が少しも嬉しくない交合をし、真の女の生きられぬ国土八州、熱のない火の神、実の入らない稲の神、等を作るが、女は十歳になると死んでしまうという国になった。国でありながらそこには国というリアリティがまったくなく人々は他人事のように暮らすしかなかった。また排泄の神や労働の神、老いを楽しむ神、病をいたわる神、当事者意識の神、不祥事を三十年でも覚えている神、戦争責任の神、ペドフィリアを罰する神、節操の神、独身の神、同性愛の神、男女が喜び合ってする性交の神は最初から生まれなかった。一方ミーナ・イーザはそのまま黄泉にとどまって女王になるが、子供は男の子なので、つまりいくら悪い子でも結局はイザナギに属してしまうものなので成長すると生者の国に帰ると言い始めた。

が、元々殺されるはずの子だったから、ヨモツヒラサカを越えたところでたちまちイザナギに殺されてしまった。すると魂のない女から生まれた機能不全の神々はその殺されたヒルコの体や魂やヒルコの死体から生えた穀物を貪り食い、その結果稲に実が入り、火は熱を持ち、女は十歳を越えて生きるようになった。但し、それと引換えに稲は権力者しか食べる事が出来ぬ穀物になり、女は暑い時に火を使って料理をさせられるだけ、冬に火の側で温まるのは男だけになり、その上十歳を越えた女は成熟した己の姿を恥じるようになり幼女に仮装して男に支配されながら父系の子供だけを生みはじめた。

つまり、インチキの神でも女神の血を受けたヒルコの死体を食えばそれなりに機能すると判ったのだ。そこでやっと国は国らしくなったのだがどうみても変な国家だった。真の女のいないズレた国家。結局火は庶民の竈に入らず、土からもたらされた富は収奪され、女はケガレを押しつけられ、コトダマは当事者意識を生まず全てすかすかだった。またヒルコの死んだ左目からは日の神が生まれ右目からは月の神が生まれ鼻からは海の神が生まれ、つまり最初から月も太陽も海も死んでいた。

インチキの神々はヒルコを食った事を実は恥じていた。しかし恥を抑圧して開きなおったので、黄泉をケガレとし、殺して食った事を忘れるためキヨメという概念を作る事にした。しかもその自分達の精神の問題を手を洗ったり掃除をしたりするという程度の衛生思想といっしょくたにして強迫観念にしてしまった。だが国は一応ずれた形でも発動したのである。しかしそのずれを抱えたまま国を維持するためには、都合の悪いものを見ないふりし、自分の責任であるものを人ごとのように、汚いとか言っていなくてはならないシステムが生じた。

このような馬鹿げた状態を改革する事の出来るのは危機管理の神とオトシマエの神だけだったのだが、それは最初から生まれてなかった。

しかもこの状態をイザナギの、男の側は「ケガレを払い、禊ぎをしたのであらゆる良い神が生まれた」と称したのだった。黄泉で育った存在を殺し、食いながら、全てのケガレを黄泉に置いたり捨てたりした事にして、自分達はまるで肉体を持たぬかのように、清潔ぶって暮らす事に決めたのである。そして日本神話は本来黄泉に戻るべき魂までも食われて完全消滅したヒルコを、生まれてすぐ海に流されたものと、つまり最初からいなかったものとしたのである（と龍子は改作した、なお、古事記にはかたまらなかった島淡島を子供の数に入れなかったとも書いてある）。

ウラミズモ神話では男神と女神の問答についても、子供を殺されて怒った女神がイザナギとヨモツヒラサカで対決したのだという話に変わっている。本来の日本神話ならば、黄泉での自分の醜い姿を見られて怒ったイザナミがイザナギを追いかけて行って呪い合うはず、しかも——日本神話ではイザナミが先にイザナギを呪い「お前の、生者の国の人間を一日千人殺す」と宣言しそれに対してイザナギが「ではこちらの国では一日千五百人生ませよう」と応えて人間が増えていくという仕掛けになっている。が、ウラミズモでは逆だ。

つまりヨミの国がミーナ・イーザの駆け込み寺のような感じになり、男神が女神をまず呪うのだ。

女が最初に声をかけたからヒルコのような子が出来たと、暴力亭主のようにしつこいイザナギがまず怒り狂い、その怒りのあまりに今度こそは自分が「男らしく」先んじようとする。「お前の子供なんかいらない一日に千人人間の女に子を生ませて人の国を作る」と怒鳴るイザナギ。すると女は男よりはるかに優れていて賢いのでたちまち「それならその国民を一日千五百人死なせてやる」と応え返す。それ故に「元の国」は滅ぶしかなくなったのだ。が、賢い女神は人種そのものを絶やそうとはしなかった。

「しかし国が滅ぶからと言って人が絶える事はない、国のないところから真の女が次々と生まれ出て大地に満ちるであろう」と、つまり女の誕生だけを我が国のイザナミは祝福したのだった。

　ヒルコの死後ミーナ・イーザは悲しんでその姿を人形にしたが男の人形なのでいつしか地上のバカ男の魂が勝手に入り込んで逆らうようになった。何度壊して作り直しても反抗するので、爪を抜いて地上に追い払った、――というところで国滅びの神話は終わっている。

　ここの神話ではヒルコは異形ではなくイザナギに不義の結果と疑われた美しい子だという解釈になっている。不義の子呼ばわりされた、「女々しい」程華奢で美しい男の赤ん坊である。というのも、――我が国での神話は文学ばかりではなく総てこのウラミズモのテレビ、コミック等エンタテイメントの粗筋に反映されるので、観客に夢を与える事の出来る内容を神話のキャラクターが合わせ持つようにと考えておいたのだ。無論、テレビではこのヒルコの役は美少年に仮装した美少女が行う。まあそれはかなり難儀な解釈だとは思うが、ただ征服された神や都合悪い存在を、史実を曲げて不細工に描くというのはありがちの事だろうから、それを元の状態に戻すという意味合いで私はヒルコ美少年説に踏み切ったのだった。

　ちなみにこの国産み、ではなく国滅び神話までは龍子の発想に私が肉付け、一貫性、世界観を与えるという具体化、論理化の仕事だった。しかしそこから先は発想も含めて完全に私の仕事になった。

　まず私は出雲神話に注目した。さきの国滅び神話と私が変形させた出雲神話とを結び付けようと思ったのだ。――日本の歴史は、無論征服と国家統一の歴史である。神代において、出雲はその代表的反国家勢力であった。そもそもヤマトが国を統一するためには、出雲勢力に代表される、在来の地方首長達を征服しなくてはならなかった。というか神話上、征服されたその首長達全員を象徴する事になるのがそのオオクニヌシである。つまり、オオクニヌシとは誰かという話なのだ。本当は誰の事か――。

　オオクニヌシは、日本神話において、日本を最初に統一した苦労人の英雄、という事になっているはずだ。姉の太陽神に頭の上がらないマイナーな反抗神スサノオの子供とされる事が多い彼だが、その出自ははっきり言って不明瞭なものだ。スサノオにしても出雲系の神話ではなかなか立派な神なのだが、天孫系の神話になるとマザコンの乱暴者で父親イザナギから海をおさめよと言われて反抗しその後はアマテラスに叱られ爪を抜かれて追われたりしているのだ。イザナギが定めたスサノオの領土が海というのも意味深で、この場合も海を異界と読む事は可能かもしれない。つまり海をおさめよ、とはスサノオよ下位にいろ、ここから出て行けお前は辺境に住めというような意味なのである。或いはずばり、黄泉に行け、と。つまりそのスサノオの子オオクニヌシである。――古事記を読んでみてもこのオオクニヌシは、青春を兄の神達から馬鹿にされた荷物持ちの末子という立場から始めている。その時イナバノシロウサギを助けたお陰で女神に持てたというところも苦労人的、男シンデレラ。その後も火に焼かれ石に潰されとさんざんな難儀の末に日本を平定するが、苦難の代償として得た国土もあっさりと後から「進出」してきた「天孫」に差し出して（取り上げられて）しまう。これは息子達がケンカに弱かったりとてもおとなしかったりしたからである。その上御本尊も平和指向だったのか、ともかく自分のために大きい社を建てて貰うだけで国土は譲るという「国譲り神話」の主となった。つまりこれが「彼」の概要である――「この日本侵攻は大変平和的に双方の合意の元に行われた」というわけ。

　ところでこの日本神話の影、苦労の連続にして地味な控えの神、オオクニヌシをわがウラミズモでは太陽と仰ぐ事にしたのではあるが、しかし、そのままでは「使えない」ため加工を施した。――何といっても日本神話の上で、彼の性別は男である。また日本の国土を平定したというそのランクの高さの割りには変に努力型で受難の多い下積み系のキャラクターにされてしまっている。その上に妃の数だけ見てもまたスサノオとの関係性ひとつを取っても、どうもその神格、履歴書に一貫性がない。謎だらけの神だ。子供も百八柱もいて本当にひとりで拵えたのか。なにしろスカトロ的エピソードまである、せいぜいが二枚目半のこの「偉い」神、――繰り返し行われる妻問い、重婚をこなしつつも、国を平定するという大テーマを抱え、しかし壮大な戦いがどうというレベルの前に、やたら獣と戦うだの害虫を殺すだのという課題を与えられてコマカいのである。そもそも父親の跡を継いで親が放棄した海を治めるとか根の国を治めましたというふうに彼がならなかったのはなぜかという疑問。そしてやっと得た領土は、没収され——。

まあ、神話というものはまるでいちゃもんを付けられるためにあるかのようにスキの多いものだ。だから私は、というより我がウラミズモの新設神話は言う。オオクニヌシ、そんなものはいなかったのだと、日本の主権を都合良く渡してくれるおとなしい原住民、それは古代の権力者がでっちあげた幻想だと。最初から茶番的キャラクターに過ぎなかったと。

というわけで、実際にいてその時代を生きていたのは、ひとつひとつ殺され、追われ、潰されていった小国家群の首長達だったとした。殺戮と反抗と怨嗟と憎悪の歴史、それをまとめて戦いなど「なかった事にするために」ヤマトはオオクニヌシを「作った」のである。つまり、——さまざまなタイプのあらゆる地方のいろいろな支配形態の小王達をひとつにまとめ、カッコイイ首長や反権力な態度は全部なしにし、カッコ悪い部分を残して作ったのがオオクニヌシだった。多くのレジスタンスをなかった事にし、搾取と収奪と支配と強姦と子殺しのつまりは、全「内部事情」の口を拭い、「話合いによって国権が移りました」と丸めたものが、その不毛な茶番の結果が今の、出雲神話である。それは元の出雲神話の残骸に過ぎない。但し、どんなに原型を歪めたところで後のウラミズモの学女や研究女や郷土史女達はほんの少しの証拠も逃さなかった。そこで神話は結局読みなおされ解釈しなおされた、というわけであった。

真面目な研究家の本を読んでも、本当のオオクニヌシが、そうしたヤマトに反抗する巫者的指導者、小英雄の群れだったという説は珍しくもない。しかもその性別は男とも限らなかった。

——これがウラミズモの核心なのだ。

オオクニヌシが、集合体である証拠のひとつとして、妃が多い、一貫性がないという事の他に、多くの別名で呼ばれているという事もあげられている。例えば、——オオナムチ、オオアナムチ、アシハラシコオ、また古代史研究ではオオナンジ、その上後世大黒と同一視されるというのまで。しかしそれこそがまた、出雲神話がヤマト朝廷に反抗して滅んだ人々の正史という証拠なのだ。ところで、——。

今、オオクニヌシは男と限らない、と私は書いた。

日本神話からウラミズモ神話を「掘り起こす」時の一番重要な改訂部分はここだ。私はオオクニヌシの性別を変えた。

オオクニヌシは女だ、という事にした。というより最も古い神話がそうだったように「正しく」性別を戻したのだ。それ故その呼称も記紀よりもっと古代に呼ばれていたというオオナンジという呼称に戻す事にした。というのはオオナンジと呼ばれていた頃のオオクニヌシは実際の神話研究でも女だったケースが多かったからだ。また、なんと言ってもここは女人国だから。

オオナンジとは若い男や眷属を従えた山の狩猟女神で、成熟したおとなの女性である。但しそのオオナンジ、つまりオオクニヌシの女性的側面を表すあたりは、日本書紀や古事記の成立段階ではすでに男中心国家の概念から排斥されている。それは反抗勢力を排斥し、なかった事にするよりももっと「自然な無意識な何の自覚も悪意もない」行為だったのではないかと私は思っている。女の功績、女の存在感、女の英雄、女のリーダー、そんなものはあってはならないのだ。もしあるのならば女だけを隔離してその中で大奥の大将のようにしてその集団全体を見なかった事にし、何かろくでもない用を押しつける時にだけ持ち出して来る、そしてその別枠傍流の中に押し込められないような女は、何があっても彼女を黙殺する。

神話を古代の現実に則して読みといていけば、「神」のモデルになった有能な指導者達の中に、ヒミコのようなカリスマ性のある精神的指導者が、或いはもっと現実的で戦闘的な女達も混じっていたという解釈は出来る。それも複数。オオナンジというよりはオオナンジズである。ヤマト、天孫系神の侵攻の元で男も女も、各々の来歴個性を卑小化され、まるで無縁塔の中に積まれた骨のようにして、多数をひとつに纏められたのだ。その被征服者の群れ、オオクニヌシ、そのオオクニヌシズの中の最も見えない存在、歴史に黙殺された女群、イコール女首長達、これがオオナンジなのだ。

この女首長だけを本当のオオクニヌシ・オオナンジとして私はウラミズモ神話の中で象徴化した。そしてウラミズモの国民の宗教・思想的な先祖は出雲から来たこの女首長だったという事にしたのだった。また女首長が何人もいると神話が錯綜してしまうのでこの際その女首長をひとりだけ、という事にもした。小国家群の女首長達がひとつひとつ、ひとりひとり潰されていくという話ではなく、ヒミコのようなカリスマ性があり日本を平定しかねないレベルの大きな国が（史実はともかくとして）あったというふうに話を纏めた。そしてそこには女中心の独特な出雲文化があったと仮定、その元はもっと南から来たものとした。そう、そして、つまり、南にはワニがいた。ウラミズモ国民はワニの子孫なのだ。そのように、エジプトにも遡る事が出来る偉い、世界規模の女神をウラミズモは祀る。しかし、とはいえ、というかまずいことに、イナバノシロウサギの話を読めばオオクニヌシはワニの少なくとも味方ではない。というわけで、ここは書き換える、つまりワニとウサギを敵対させる書換えがヤマト権力側の陰謀によって行われた、としたのである。さらに改作前のイナバノシロウサギの話は実はこうだったという解釈を出したのである。無論、同時進行で――ウラミズモの地理学女達は古代は沼地だった部分を陸にしたり、島根の等高線も山の標高も、この神話維持のためにどんどん書き換えた。

昔昔、出雲には末子相続の母系社会があり小さい女王族が群雄割拠していた。そのひとつカガのクケドの真西の山中に生じた小さい部族に、姉妹がうち続いて生まれた王家があった。女が跡取りなのだから男が生まれない事は平気だった。それは今は失われてしまった女文化の女社会の国であった。但し、その当時でさえ、外来文化の影響と農耕、交易のもたらす富の集中により、母系制は他国では次第に父系制に移りつつあった。それでも蛇神の社を建て出雲最大の父系制国家と敵対していたこの小国が母系制に止まったのは、蛇と共にウサギをトーテムとし狩猟を生業とする彼女らの国が、独特の信仰を持っていたからだ（無論、イズモがウサギの成育に向いてようが向いていまいが我々の知った事ではないのである）。そこでは末子は親と共に止まり巫女になった。というより結婚が決まらなかったものが、つまりウラミズモ的に言えば男に最も嫌われた「最高の美人」が巫女になって国を治めたのだ。というのも、末子相続はこの時期にはかなり変形していて、父系の国に嫁ぐ形で国を出ていってしまう娘達が多かったから。しかしそれでもまだこの国の結婚形態は歌垣による恋愛結婚であった。一晩中男女が歌を詠み合い縁を結ぶというまあ乱婚の末裔（ヒタチ風土記にも歌垣とある）。その日――。

父系の国から来る感じ悪い男たちに夢中の、姉娘達の荷物を持たされて末子オオナンジは出雲の海岸をよろよろ歩いていた。無論、国民神話であるからエンタテイメントをかねるように設定してあるのだ。国民は当然オオナンジに感情移入する。不細工だがトーテムのウサギを可愛がる山の女神、無骨で力持ちで我慢強く、我慢がバクハツした時に見る幻視と、それを解釈する宗教言語に富む、勇気ある女。女の英雄だ。

ある日、父系国の男にはもてない上自分の方も興味ないしというオオナンジは荷物持ちの徒労感と眠気から海辺で倒れてしまいトランスに入る、そんなオオナンジを姉達は見捨てて行ってしまう。馬鹿な姉達だがその「夢」のさ中、――。

巨大な見た事のない生物が海を渡ってくるビジョンをオオナンジは得たのだ。無論、日本にはいるはずのないそれはワニだ。子を守る母の獰猛さとイシスの残酷に満ちた緑の目のワニ、背中に小さい男の子が死にかけて乗っている。ワニを信奉する部族が海外にいる事を、潮流貿易はあったから（もちろんウラミズモの国是によって、なくとも、「あった」のだ）オオナンジは知っていた。しかし夢で自分の見たワニが実物そっくりのワニかどうかは確かめるすべもない。まあ夢が神託と言うのは巫女のお約束だし、一方海から来る男は幸をもたらすと信じられていた。男達はワニに乗って潮の流れと共にこの出雲に来た。彼らは外国人であるから珍しがられ、もてた。一応「神」という扱いになって大切にされ時に生贄にもされた。が、中には新知識をもたらす「本物」の神の他に伝染病を持ってくる悪い神もいた。

その日から海岸でオオナンジは漂流者を探し求めるようになった。夢の神託というより夢に現実を合わせるそれは宗教的行為だった。というのも夢が現になればそれは予知夢となるから。但し、その夢は当然強引に現と、符合させるのである。なぜならそこには既に「宗教」という名の「予定」が発生しているから。

ある日、——とうとう見いだしたのは他国の少年、というより子供だった。ぼろぼろの白衣を纏って浅黒く彫りは深く、両目は海水で真っ赤になっていた。体にワニを表す刺青があった。少年はオオナンジと敵対する父系の国で信奉している、もっとも偉い神であるタカミムスビの神と良く似た名の、カミムスビの神が自分の父親だと言った。本当かどうか、でも彼は新しい音楽と新しい芸能と新しい言語体系を持ち、病気の治療も占いの方式も、酒作りの技も温泉を発見するダウジングの方法も知っていたのだった。オオナンジはもう歌垣に行かずその少年を育てる事に決めた。姉達はしけた小国を見捨てオオナンジは成人した少年と共に国を治めた。成人した少年はほら吹きでカリスマ性があり外交に長けていた。そしてオオナンジの方は巫女を組織化し階層化し交易や情報収集、宣伝活動、国威発揚に使ったのだ。巫女の官僚国家とも言うべき体制が整い、女を中心とするモラル、宗教、儀式が生まれ、少年をモデルにして女の気に入る男を作る教育がなされた。国は本当の規模よりも強く華やかに見え、巫女達に支えられ、周囲の国を形式的に従えて「大国」となり朝貢貿易的な商業で発展した。国家予算を傾けて揃えた銅鐸を並べ叩きまくる音楽も周辺の国を驚ろかせた。しかし元々は小国であり結局は国力の決定的基盤がなかったのだ。つまり――彼女が一時作り上げて版図だけを大きくした、(そして結局は父系の出雲を手先とした天孫系の国にその代で滅ぼされるしかなかった)弱く誇り高く正しい国、それがウラミズモの原型である。この国を取り戻すという大義名分によって、現代のウラミズモのあらゆるきったない行為は許されるのだった。またこの国を完全に取り戻した時、そのようなきったない行為はしなくてもよくなり、――。

**うわーっ。**

なおこのオオナンジと偉大なる女神ミーナ・イーザ、そして本来のワニであるトヨタマヒメとの運命的な繋がりは後に述べる。

ところで、――出雲が女中心の母系社会だった痕跡はというと、――むろんその解釈はあまりにも勝手なものであるが、しかし、母系から父系への移行は人類の歴史の中で普遍的なものとされているのだから、女社会的な側面や、女の首長位は出てくるだろうという事に私はした。少なくとも倭人伝のヒミコがいるのだから、女の首長が巫女であるという想像は出来た。――ならば出雲神話の失われた核心を取り戻すと称し資料を偽造し曲解して行けば、「完全な女の国を、女の出雲神話を復元」する事は不可能ではない。またこれこそ国家神話が「創設」される時の普通のやり方である（そして、悪役もまた）。

失われた被征服民族の母系巫女社会、その巫女社会を滅ぼしたのはヤマトに寝返ったイズモの男とヤマトの感じ悪い男達である。それ故男は現日本の諸悪の根源である、現代社会は出雲に回帰すべきで、それこそが女の国なのである――という展開は容易だった。とはいうものの――。

今書いたように、古代の理想社会は今のウラミズモのような「女だけ」の国ではなく、楽園には男もいたはずなのである。つまりレズビアンマザー（もっともウラミズモの女にレズビアンはいないのだから本当はウラミズモマザーとでも言うしかないのだが）がその時代にいるはずもないし、昔は原始的な増え方で人は増えていたのだから。但し、――。

そこは楽園だから男が存在したのだという事なのである。つまり古代の男達は現ウラミズモでさえも容認し人権を認めるような、理想の、素晴らしい男性で今の男性とはつくりが違うのだ。それは最初に少年の姿で現れた渡来系の、聡明な美しい芸能神に祝福された存在、彼をモデルに教育されたしかも元々母系制に違和感のない男達である。このウラミズモ男の原型となった少年神を、ウラミズモ神話の創作により、私はヒルコと同系統の男神として系列化した。

繰り返して言う。日本の歴史とはウラミズモから言えば、父系を信奉するヤマトの権力者達が女首長を戴くゆるやかな連合小国家を、そういう先住民を征服し続けた結果なのだ。そういうひどい来歴を持った日本を否定し、女は女だけで新しい国を作る、今の日本をツブし古代の理想国家女人出雲を再現するのが国是である。とはいうものの、この国に理想の男性が回帰して来るはずはないのだった。というか理想の男は既に失われており、その喪失感の上に国は成立しているのである。

たとえ日本の各海岸に同じ設定でウラミズモに似た国がいくつも建国され、それらが一斉蜂起して日本全体を乗っ取る形になったとしても、国民、つまり真の女は真の男を迎える事は出来ないはずだ。そしてその根拠がまさに神話の中にあった。オオナンジの元に現れた「真の女にふさわしい真の男」、それはもう二度と現実の世界には帰って来ないのだ。彼はいない。彼は二度と戻らない。少年の姿の芸能神は永遠に隠れてしまったのだ。日本神話上も彼は何度も隠れ、ついには粟の茎に弾かれて常世の国に帰った。というより日本神話の中から排斥され、卑小化され、見えなくされ、なかった事にされた。

その神の名前をスクナヒコナという。

それでは、スクナヒコナとは誰か、――。

イザナギ、イザナミの先祖である最高神、天の神タカミムスビは天孫を下し、オオクニヌシから国土を取り上げて地上を支配した。このタカミムスビ、またアメノミナカヌシらと同時期同格で生まれ、名もよく似たカミムスビの神という神があった。特に偉大な三柱の神として古事記に記されている。そのカミムスビの息子がスクナヒコナ、つまりタカミムスビという偉い神と、同ランク別系統のもうひとつの天孫、もうひとつの太陽の子というわけであった。但し、それは古事記を見れば、そうともとれるという話であり、本居宣長がその全体を批判したように、古事記よりも一層バイアスのかかった日本書紀の方は、このスクナヒコナに対しカミムスビの子である事までも改ざんして、彼をもタカミムスビの神の子として一本化してしまっているのだった。が、それこそが別系統の権威を抹消しようとするインチキな態度だ、とウラミズモ神話はいちゃもんを付けるのである。で、そのスクナヒコナ。――天から来たこの子は、小さく生まれつき、不良の性を持ち、親神に背いてその手指からこぼれ落ちて地上に来た。海から光を放って出雲の海岸に寄せて来た彼は、昆虫の皮を着てガガイモという植物の船に乗って着いた。寄せてくる彼をオオクニヌシは見いだし、クエビコというカカシの神に教えられてその名を知った。無論その時点で彼の外見は卑小化されてしまっている。しかし、ウラミズモはこれを「真実」に戻した。――掌の上に乗るとは実はそれほどに身が軽く足が早いという意、要はウサギをトーテムにする首長から愛される程可愛く、不良の性というのも権威に逆らう反権力の魂を持っているという意味なのである。さらに美少女のような外見が弱い小さい存在と卑小化されただけで、光るオーラを持つ程に魅力的な彼は海からのマレビトであった。その後、――。

スクナヒコナはオオクニヌシの元に留まり一緒に国を平定し外来の知識を伝え、しかし何かと失踪して、というのは体が掌に乗る程に小さいので、いなくなるのである。そして最後には粟の茎に弾かれるというはかない経路で常世に帰って行った（と日本書紀にはある）。無論その消え方も卑小化の結果である。常世とは異界、イザナギがスサノオに押しつけようとした海よりも遠い海外である。彼はあるいは時の天孫政府が何度も追い払ったのに不死身で戻って来ていたという事なのかもしれなかった。

　ちなみに水辺から寄せて来て幸いをもたらして去った彼は、時にオオクニヌシと同一視される程で、古い神話ではこの二柱の神は常にペアで現れてくる。但し、それは、オオクニヌシがオオナンジと名乗っていた時期、プレオオクニヌシであった時に限られている。もっと言えばスクナヒコナを奪われ女性性を剝奪され無個性化されたオオナンジに与えられた名前が、オオクニヌシなのだ。――常世から戻らぬスクナヒコナ、彼を失ったオオクニヌシは張り合いを失い老け込んでしまったという。そこをウラミズモ神話で解釈すれば、スクナヒコナだけがオオクニヌシのサキミタマ、クシミタマなのだという事になる。海から来て幸福を与えるオオクニヌシ自身の分身分魂、若さをくれ、自信をくれ、支えてくれた存在、ウラミズモの言葉で言うとワケミタマである。これをオオクニヌシは失ったのだ。

　オオクニヌシから国土を取り上げた天孫はさらに彼の大切な「半身」スクナヒコナをも奪った。オオクニヌシには「新しい半身」が与えられた――それがオオモノヌシである。日本神話上ではあらたに来た、神話の記述上ではまさにサキミタマ、クシミタマとされる三輪山に祀られた蛇神、雷神である。つまり彼は海から来た光と言っても太陽ではなく、雷なのだ。しかしオオクニヌシは本当にそんなサキミタマを受入れたのだろうか（無理だ）。

　実はそれは天孫が出雲の女神に押しつけた嫌なパートナーだった。まるでがんこ親父が娘の恋人をたたき出して、勝手にエリートの亭主を押しつけるかのように（当然このあたりもエンタテイメントになるように設定している）、オオクニヌシにとってもスクナヒコナにとってもそれは大変酷い処置であった。

現れ出たどん臭い地方首長、海から来たというのだって怪しいもので、実は三輪山に代々いた旧家の跡取りのような、そしてやたら女の元に通うという親爺男、そんな家父長制で煮しめた嵩高い豪族の神オオモノヌシに、オオナンジはすたれものの巫女として雇われ、或いは形式的な嫡妻として嫁がされた。つまり嫁ぐ事で「彼女」は結局国権を奪われ、その後オオモノヌシと一体化して祀られてしまったのだ。無論、現存する日本の神社においてさえも未だにオオクニヌシがスクナヒコナと一体化して祀られているケースはあり、だが、しかしこれをいかに「日本」が抑圧したかについては、ウラミズモがこの地に建国した大切な根拠と共に後述する。さて、それで——オオクニヌシ・オオナンジはその後どうなったか。

先程、私はオオクニヌシをオオナンジと呼び、女だと言った。一方、それでは女に好かれる男スクナヒコナは神話的にではなく具体的に言えば、どこに消えたのか。スクナヒコナは海外へ逃亡したのかそれとも殺されたのか自ら死を選んだのか。——ウラミズモの歴史大河ドラマならばそのスクナヒコナが、脱出してオオナンジに再会しオオモノヌシに軟禁されている彼女を殺して死んだ、或いは連れて常世、海外に逃げた位のストーリーにはなるであろう。或いはふたりでオオナンジの山に立てこもって死んだだとか。

ともかく——そういうわけで、ウラミズモには男はいない。いてもそれは家畜にするしかない日本の男である。分離派の人形、仮夫もスクナヒコナの代用品に過ぎない。代用である以上憎まれる場合もあるがスクナヒコナのコピーとして愛される事もある。どっちにしろそれはスクナヒコナを失ってしまった、真の男はいない、という事を象徴しているのだ。そして一致派の生活は女王オオナンジを慕う巫女達のコピーである。また「楽園」では巫女同士が子育てを集団でしたのだから、一致派が同性愛でもなく一緒に子供を育てている事も神話的行為である。但し、日本の夫婦、カップルに対する厭味として、またスクナヒコナとオオナンジを偲ぶために、国民は同性でカップルになっているのである（これが偽の同性愛の神話的根拠である）。

最後まで時の「日本政府」に反逆しついには海外に逃亡までしたスクナヒコナ、征服されたオオクニヌシと違って彼は神話上も完全に卑小化され、ほとんどいない程にまで見えなくされ、神話の中では抹殺同然の扱いを受けた。日本に単独で祀られているケースにしても、時に、「女に好かれる」この神は「婦人病の神」などと「小さく」されたりまた、現在もオオクニヌシのいるもっとも有名な神社にはそのスクナヒコナを祀った場所を取り払って海の女神を祀った痕跡までである。ではここまでを纏める。いや、その前に――。

このスクナヒコナはそもそもなぜオオナンジと出会ったのか。夢の符合？　だが、やはり「運命」はあったのだ。

というわけで、ヒルコを失ったミーナ・イーザのその後について述べよう。

黄泉の女王になったミーナ・イーザは（ヨモツヒラサカは出雲にある）冥界の通路を抜けて

出雲の海という異界に出た。ヒルコのいない黄泉は耐えがたかったし、黄泉だけ治めるよりは自分の国土、本来の日本を奪還するための準備をしたかった。イザナギが作った日本をミーナ・イーザは嫌で、そんなものは仮国家だと思っていた。そもそもミーナ・イーザがイザナギの国産みに最後まで付き合わなかったせいもあって、当時の日本はあらゆるものが柔構造になっていた。ミーナ・イーザはヒルコを取られたのだから相手の国を取ってやろうと念じ、また呪い合いには勝っているのだから最終的に日本は滅ぶはずだと信じていた。それ故自分が祝福したヒルコや淡島達をも受入れてくれるような国を、この柔構造という隙に付け込んで建国してしまおうと思ったのだった。すると、当時もっとも日本の支配から遠かったのは海であった。

例えば、生者と死者の国がきっぱり分かれているのも陸だけの事で、海からは他国の神も流れ着くし、常世は（先程述べたように）そういう死生観や異国観を表現した概念であった。

海は陸の支配を受けない、もうひとつの黄泉、別世界とも言えた。そこでミーナ・イーザはトヨタマヒメと名乗り、人形で作った仮の父王を祀り、日本の男神ヤマサチヒコを誘惑して、彼と結婚した。ヤマサチヒコはイザナギが人形の仮妻との間に作った感じ悪い男だが、ヒルコと同じ父を持つ以上少し面影があってやはりミーナ・イーザには懐かしかった。ヒルコのような子が出来るかという期待もあった。それ故ミーナ・イーザは男神に付いて一旦陸に上がった。が、結局そこはイザナギの支配下の嫌な国であった。

女神はしばらくはそこで陸特有の陰気で従順な女に化け続けた。が、子を産む時、正体を現してしまった。

その正体がワニ、しかも悪の女王ミーナ・イーザである事を知ると、男神は子を取り上げて女神をまた海へ追放したのだった。その上にミーナ・イーザの支配する海の国の男を全部滅ぼし、命乞いしたものを家来・俳優にした。――彼は海を攻撃する時にはミーナ・イーザから取り上げた「海の水位を自在に変える珠」を使って有利に戦った。その上にミーナ・イーザが自分に味方して珠を差し出したので使っただけだなどと嘘を言った。が、珠は子供に伝えるために持って来たものでミーナ・イーザには罪はなかった。

子供をとられて嘆く女神はそのままひとりの歳月を海の底で暮らした。しかしある日、――天から海に落ちて来たヒルコとそっくりの、掌に載せたい程可愛く頼り無い男の幼児を助けたのだ。それが、スクナヒコナだった。彼は勝手に海に落ちたかのように記紀には書かれている。が、むしろイザナギ的価値基準に合わないがために天孫系でありながら捨てられただけなのだ。それを親神は不良といい拵え、子の神も最初のうち、自分は悪い子だと思っていた。「良くない子を手に入れた」とミーナ・イーザさえも思っていた。しかし天の国には女から声をかけるなどというマナーはあり得ない。或いはタカミムスビの子ではなくカミムスビの子のスクナヒコナは、別の体系から来た子供だったのかもしれないのだが。まあどちらの神の子にしろ天の子である。「するとよくない子が生まれるのは女が声を掛けたからだという言説もまたいいがかりだった」とミーナ・イーザは悟った。さらには、「そもそも良くない子などいない、自分を頼ってきたこの子こそが最も良い子だ」とも。

とはいうものの、天から来たこの子にもっともよい環境は海ではない。天孫は必ず陸に住むものだ。また、ミーナ・イーザはこの子を黄泉で育てる事もためらった。男の子はきっと黄泉の外へ出たがる、でも出自が判ればヨモツヒラサカで殺されるのだ。そこでその子を自分の子として育て続けるため、ミーナ・イーザはワニと化した体を海に浮かべ続け、子を背に乗せて移動し、やがて漂う浮島のようになった。それは具現化され、縮小された常世のようなものであった。

海と陸を往来出来るワニの身を持ちながら、陸にいる自分の産んだ子にその姿を見られる事をも恐れたので、ミーナ・イーザは陸にはもう上がらなかった。つまり、スクナヒコナは、彼女の体の中に船に乗るように浮かびながら、女の言葉を教えられ女の気に入る躾けを受けて育ったのだ。この神の子がひとりで生きられるようになると、彼女は子供を草の船に乗せてイザナギの陸に、と言っても自分に由来する、ヨモツヒラサカに近い出雲の海岸に送りだした。

この草の船について、――そもそも最初のヒルコを、アメノイワクスフネにのせて捨てようとイザナギは言ったのだ。女神はその事を覚えていて男神に逆う乗物を求めたのである。そこでこのヒルコに似た美しい子はアメノイワクスフネとは違うガガイモの茎の船に乗せられる事になり、その上、女神の体から湧く蛾の羽化した羽を着せられて出自を隠された（海の力を持つミーナ・イーザの体からはその気を受けて生物がいくらでも湧き続けた）。但し、――主流の説でヒルコを流した船は葦船になっている。その上で異説にアメノイワクスフネとイワノクスノフネがある。が、強いてイザナギの言葉としてアメノイワクスフネという説をウラミズモが選んだのはそこにヒルコの父系を表現するアメという語と、呪力ある排泄を表現するクス

（クソ)の音が入っていたからだ。そもそもクス(クソ)は魔よけの語でなおかつウラミズモが重要視する、無視してはならないと思う、現実直視の表現である。つまりまず、――クソがクスに通ずる、という民俗学上の説があった。またクソという発音がクスになっている例としては沖縄で魔除けに「クス(糞)クエ(食え)」と唱える習慣もある。音だけを言えば芳香の楠の語源にさえ、クサ(臭い)の木であるという説まである。

このクソという厭わしいものには邪眼をはじき返す力が宿っており、それ故子供の幼名に糞や糞関連の言葉を入れるケースも見られるのだ。その他にも例えば「まる」、という子供の命名等「排泄をする」の意の古語に由来している場合がある。神話の中の汚物を無視しない事、それがウラミズモの方針である。但し、クソをそのまま自動的にクスとし、それもアメノイワクスフネのクスをウラミズモ神話的にクソの意と決定してしまう事は、ウラミズモの国家背景や龍子の教義なしにはとても出来なかった。

このように、日本の民俗学をウラミズモは、ウラミズモ的に大胆に解釈したのである。――。とはいうもののアメノイワクスフネのクスにあてられる漢字は記紀では糞ではなく、楠になっている。当然これを抑圧としてウラミズモは批判する。

ちなみに、宮武外骨や、井上通泰博士は人間の楠という命名に関してはイコール糞としていないとしていて、この場合の糞は謙遜の意だという。但しこれに異論を唱えているのが南方熊楠なのだ。外国での論争にも負けた事のない歴史的人物の抗議である。

楠神を信仰し楠という字をトーテムに用いる一族の一員にして、権威ある日本の民俗学者南方熊楠は、楠は糞ではない、それなら自分の名は熊糞かとまで書いた。彼は楠は本当に木の楠だという具体例として、自分の郷里やその他の楠神、つまり本物の楠の木を信仰する例を上げており、このあたりは確かにウラミズモ国民の利害を損なわなかった。しかしまずい事に熊楠は自分の名の楠が糞でない事を証明したくて、楠の神聖性の根拠を日本神話の中の楠の字とリンクさせて説明していたのだった。つまりアメノイワクスフネの神聖さをバックにして物を言ったのだ。

アメノイワクスフネのクスがクソではなくクスという神聖な植物を示す事はポリネシアで楠を信仰する事と関係あるといい、またスサノオの眉から生えた植物だから神聖である事、それ故に糞とは関係ないという意見を熊楠は書いている。このあたりがウラミズモの神話担当学女の中の、特にたちの悪い連中を激怒させていた。というのも神話の神聖性を根拠にして、つまり神話に出てくるから糞ではないという説は身体性を馬鹿にしていると読んだからだ。

そこで学女達は言った、ポリネシアと言ったら焼き畑農業だと。しかも嘔吐や排泄物から生まれたワクムスビ、ミズハノメ、ハニヤマヒコ、ハニヤマヒメ、カナヤマヒコ、カナヤマヒメ、は神聖ではないと言うのだろうか、どんな神でも役割あってこの世にあるのだ、と。その上(まだまだいいがかりは続いた)。

熊楠は熊糞と言う名にあまりいい印象を抱いてないようだ。しかし呪術上の糞と、つまり糞という言葉と実物の糞は違うものだ。糞が邪眼をはねかえすから糞と命名する、それは糞の異色なパワーだけを言語という形で抽出して使っているのである。また糞という名を付けて子供が丈夫に育つというのは排泄物が肥料になり、農作物を育み、さらに灰になった草木が肥やしになり死が生に返るという古代的でおおらかな循環システムを賛美しているのである。それを小馬鹿にしているところが女性差別的だし大地をも馬鹿にしている。つまりは現実から眼を背けているし人間の営みの中からいいとこ取りしている。熊糞と怒るが熊だってウンコしなかったら死んでしまうのだ。強い熊の糞なら結構じゃないか等と、彼女らは怒ったのだった。

そもそも楠は神聖だから船にするのではない丈夫だから船にするのだ、とも。お札とか免罪符で船を作って乗ってみろ、どんなに神聖でも一気に沈むだろう、というのが女人国の見解であった。

またスサノオはイザナギの鼻から生まれて来ているのにその眉が神聖だから楠は神聖だというのもおかしいという見解があった。他「カワクマノクソブナハメルイタキメヤッコ」という古語を引用した論文も出た。女を罵倒する時にその食べる魚まで侮辱するためにクソの語を使っている、それならばウラミズモにとってクソは女性差別の邪眼をはねかえす反権力の語だと。その論文はまた、ヒルコを流す行為は革命勢力である女性が天下を取る事への禁示をあらわしているともしているのだった。アメ、が天下、イワは反抗の固い意志、クスが糞という反権力志向であるというのである。すると楠の木は丈夫だと言う学説を書いた学女から、イワの解釈についての反論が出た。そこで「イワのようなクス」か「イワとクス」なのか争ううち、また「イワは男に嫌われた姫であるイワナガヒメのイワだ」等の異論も出て錯綜した論争になったりもした。――さて、ウラミズモにおけるクソクス論争はここまでとしてスクナヒコナに戻る。

スクナヒコナはもう少年になっていたので自分で船を漕いで岸に辿り着いた。その岸にどのような国があるかをミーナ・イーザは知っていた。自分が黄泉の女王であった時に黄泉にごく近い出雲の海岸で、女王の、女だけの気を受けて生まれた一族があったはずだと。既にイザナギ側の人間と混血を重ね、次第に陸部に進出し山中で人間の暮らしをしているが、元々は海に由来する彼女の子孫である。スクナヒコナは天の子、天から来た子は陸で生きる運命にはなるが、同時にこの海に由来した力を借りるしか子孫を残す手はない。それならば自分の「娘達」にこの子を託そうと彼女は思った。但し陸はもうイザナギの版図になりつつある。もし出自が知られれば殺されるだろう。途中から船も捨てるようにと、また天から来たと言わず南から来たというように少年は教えられていた。

こうしてスクナヒコナはオオナンジと出会うのだ。一方、――。

ミーナ・イーザから取り上げられた実の子はそのまま無事に育ち、その子の子のひとりは陸を治める最初の、現実世界の主になった。スクナヒコナが天の階級社会をはじかれ海の異界に落ちてきたのと同じように、彼は世話係として母のミーナ・イーザが寄越したタマヨリヒメ(日本神話では彼の実の叔母という事になっている)、要するにイザナミ系統の海の女と婚姻し、その影響を強く受けるしかなかった。海の力はどうしても国を統べるために必要だったからだ。但し、生まれた子のあまりにもイザナミ的なものは父系から排斥された。日本神話によれば子孫四柱のうち、初代の王となるひとりを残して、ひとりは異国に行きひとりは異国にかえり、もうひとりは東征の時に「日を背にして戦った」つまり支配者に背くという象徴的行為が遠因で戦死している。黄泉または常世行きによって、母の、海の血の濃いものたちは失われた。しかしそれでもタマヨリヒメとの婚姻があってこそ、イザナミの孫は無事に日本の王となる事が出来たのである。

この神話をつくった根拠は当然、古事記のウミサチ・ヤマサチのエピソードからだ。

それは、――ヤマサチがウミサチから借りた釣り針を無くし海に入るというくだりである。彼は海の女トヨタマヒメをそこで娶るが、神話ではこれは男が女に呪術的に飾り珠を贈り、つまり先に声をかける形の婚姻になっている。しかも侍女が取り次ぐという形で要するにお姫様らしい態度なのだ。しかしこれを日本神話の抑圧という事と私は解釈した。実は、やはりイザナミ、つまりトヨタマヒメは先に声を掛けていたのである、とした。というのも子供は「無事に」生まれたとはいえ産屋が出来るまでに出た早産と伝えられたからだ（つまり通常のお産ではないとインケンにも記紀は書いたのだ）。その上母親がワニなのだから。

まあどっちにしろ、海の、というより異界の、イザナミ系の血を借りなければ、つまり母がいなければ子孫を残す事は出来ないのだった。しかしこうなると支配者側には、父系という幻想の下に母系を抹消する必要が生じてきた。そもそも子孫の生命力をつよくするために自分も息子も繰り返し海の血を導入し、それ故ヤマサチヒコの孫は王者となれたのだ。ところが、にもかかわらず、権力は父系以外のところから引いて来たつまり母系の血というものをなんらかの形で劣位に置かなくてはならないと思ったのだった。それ故、記紀では、母親似の者は海の血が濃いので海に帰ったという記述になったのである。
ワニの正体を見られて恥じたトヨタマヒメが自発的に身を引くという日本神話の後日談もまた創作であって、イザナミ・トヨタマヒメが自分で子供を置いて去るはずはない、と私はした。身を引くトヨタマと惜しむヤマサチの別れの美しい相聞歌が古事記にはあるが、これは子を取られて去る嘆きの歌へとウラミズモの詩女（詩人）達によって改作されるはずだ。「世の尽々《ことごと》に（生命終わるまで）」愛は尽きないというこの別れの歌が、「世の尽々に」嘆き悲しむという歌に変わるのである。

さて、ここまで読んでオオクニヌシの国譲りとスクナヒコナの出現の時期が前後してしまうではないかと思う人がいるかもしれないが、しかし、古事記の倭建、出雲建の話をも含め、ウラミズモでは古事記全体を出雲的集団と倭的集団の戦いの歴史、その粉飾抑圧史と見ているので、その結果神話構造を全部、オオクニヌシ、というよりオオナンジとスクナヒコナペアが皇祖神と戦う話として捉えてしまうのだった。支配や征服は分かり易い流れで行われたものではなく、トヨタマヒメの話もスクナヒコナの話も、征服の過程で一斉にあちこちで勃発していた複数の紛争を象徴したものと私は理解し、その上でこれを一本化した（というか私、神話作者がウラミズモの言論統制、歴史改ざんのしり馬にのって勝手にそうした）。

纏めに入る。――昔昔、出雲は小さい国家の群れ集まった母系社会だった、女首長がいて末子相続、首長とは巫女を統括する存在であった。その下に、医師であり学者であり酒の管理者であり家長、小集団の支配者でもあり、その上口承文化保持者、また農業指導者、情報伝達者としての出雲巫女の大集団がいた、巫女の長である女の首長は、その巫女の階層序列を定め組織化した。彼女はまたトランスによって幻を見て託宣し、国家の指針を決めた。

その託宣は比較的穏やかなもので、国家意志は最初から妥当な線で決定されていた。女首長はそこに占いや呪いの言葉で人々の想起しやすいイメージやビジョンを与え、あるいは政策を身近に感じさせるための表現を付け加えた。指針は巫女達の合議の上に女首長が決定するものだが、そこにはやはり神の力が働くものとされた。女首長は神の妻であるばかりではなくより偉大な出雲地母神、ミーナ・イーザの母系の子孫なのであった。そのような女首長であるオオナンジ達は自国を祝福し他国を呪う言葉を使いこなす事と同時に、知性と政治力を要求された。とはいえ、トランスと血統は大切なもので、神意なしには何もなし得ない国家だった。巫女の言葉は、自国を意味付けその未来を約束し、人々を安心させるためにまた団結させるために、そして他国にはったりをかまし、文化程度の高さを誇示するのに必要とされた。

長老的な出雲巫女の連合の上に女首長は立った。カリスマ性と派閥感覚を駆使して連合を治めた。その女首長のみは（直系でなくとも一族の）世襲であったが、それ以外の巫女の序列は女長老達によって定められた。ちなみに首長が末子相続であるという事は上の娘が次々結婚して家を出ていくという事で、隣国が家父長制を取るようになってからは嫁ぐ状態で出ていくものもいたが、しかし多くは独立し、子を産んでも母系社会の中で巫女として活動した。但し、夫、または複数の男を愛人に持てばその巫女としての霊力は落ちると信じられた。それ故結婚したものは技術伝達者、或いはその他の役割で活躍した。

この時代巫女とは全ての知的女性労働者の異名だったのである。その霊力を守るために、神の妻として女首長は名目上は独身を通した。但し神の子を産む事もあった。また、神の子孫である渡来した最先端技術、思想を持つ男を側近にして、女王の食事の世話をさせる事もあった。そのような男の多くは優秀で国を支える程の知力や統率力を持ち女王を支えた。但し男は単身で女王国に来て、女王の政治力を通じてしか要求を通せないシステムであった。そここそが女の国の良さだったのだ。とはいうものの、禁欲で幻を見る、独居で魂を超女性化して性別を越える、子を産まぬけれども国家ビジョンを産む、という、巫女の原則はやはり無視出来ず、どの小国家でも女首長が異性と縁なく暮らすケースが圧倒的だった。

それら小国家群は海外と個別に独自に国交を持っていた、文化は黒潮に乗ってまた嵐によってもたらされ、つまり富は大地から湧き幸は海から来た。渡来系の男性は新知識をもたらし国を華やかに豊かにした。海から来る男の中には他国で奴隷だったものたちもいたが、彼らは必ず出自を偽り自らを海の向こうの或いは海の底から来た、また天から降ってきた神の子孫と称した。しかしこういう国は――。

父系国家によってひとつずつ統合され抑圧されていった。結局は女とうまくやっていける好ましい男達は全員殺されたり奴隷にされたりし、世の中には感じ悪い男と抑圧された女だけが残ったのだ。そこから逆算し辻褄を合わせて、国家神話である記紀の編纂が始まったのだ。だから記紀にはいろいろ女に不都合な事が書かれている。神話は女の側からの真実を抑圧し、感じのいい男を削除する事で成立した。

日本神話はこのようにして男に都合いい「虚構」となったのだ。つまりもし稗田阿礼が女だったとしてもそれは既に抑圧された女の代表に過ぎないという事なのである。――というような解釈は多分私自身が火枝無性というペンネームをあたえられてしまった時に運命的に持たされてしまったものなのであろう。結局は国家に働かされているだけの作家という面が私にはあった。

こうした日本神話と対抗するために我が国では、絶望した女達が子供を拒否し、数を減らしてゆく国滅び神話を持たねばならず、またその滅びはヒルコ、スクナヒコナ等の真の女にふさわしい理想のパートナーや息子を国家から殺され、取り上げられてしまった女達の正当な権利の行使でなくてはならなくなった。――スクナヒコナとオオナンジは二度と会うことがない。その怒りと悲しみの上に国は生まれた。そして教祖がこの地を選んだ理由も実はここにある。というかそれを睨んで私は神話を立ち上げたのだから当然なのだが。そもそも、――。

この地に建国した以上この地に由来した神話でなければ国民を鼓舞する役には立たないのだから。つまりこの神話を物語として国民がいくら楽しんでも、もしそれが少しも現実や生活、土地と繋がっていなければ神話は国民文学に高められる事もないし国民の生きる手掛かりになる事もなく、何よりも国民の五感、現実と繋がる事は出来なかった。それではいくら女を中心にしても祭事も習俗もただ日本の男女を逆転させただけのまねごとになるし、神話というものがそもそも世界的に見れば似たものも多い。そういう、ただ宙に浮いただけの面白いお話などで、国民全体をひっかけるのは無理だと思う。国や国の文化、はったり、ふかし、とは「土地というオリジナリティ」あってこそのものなのである。

という理由で、我が土地ウラミズモとこの建国神話を私はきちんと結び付ける事を実は視野に入れていた。国民を特有の存在にしようとすればその土地を特有なものとしなくてはならないのだと考えたのである。


**そうなんと言っても土地は大切だ。ふん、誰が古代の女の意識など知るものかね。しかしこの神話はここに根を生やすはずだ。少なくとも私はこの地にこれを「植えた」。**


というのも当地には特有の言い伝えがあったからだ。但し、教祖の思いつきだけではそれとウラミズモを結びつける事などとても無理だったのだ。なんと言っても出雲、シマネ県とウラミズモ、旧イ○ラキ県とでは遠すぎるのだし。が、——。

それを繋いでくれるのもスクナヒコナである。

我が国の中にいまはあり、聖域として原発以上に大切にされている、延喜式にも記載された由緒ある尊い神社サカツライソ○キ、この主なる神がスクナヒコナであった。そのすぐ近くにあるオオアライイソ○キ神社、ここにはオオクニヌシが祀られていた。で、『文徳実録』にある。

神社の縁起は夢幻的状態に入った塩焼きの翁が、オオアライの海岸でオオナムチという神とスクナヒコナという神が合体した、オオナムチスクナヒコナとして戻ってきた、という託宣を受けた事からである。そこで最初、人々はこの二神を合祀した神社を作ったのだ。それがオオア〇イ神社である。しかしその後、「やはりオオナムチとスクナヒコナは分けなくてはならない」、という見解が持たれ結局スクナヒコナは少し離れた場所のサカツライソ〇キに祀り直された。しかしこれこそが国家の陰謀であると、私、ウラミズモの火枝無性は断定する。トウキョウのカ〇ダミョウジンやナラのオオミ〇神社では無論このペアは同じ土地の上に祀られている。しかしそれは記紀に系列化された通りの、並び立つ男神としてであり、もしもオオナンジとスクナヒコナの形で男女として一体化するとしたらそれは出雲をウラミズモに、国産みを国滅びにするような忌むべき行為なのだ。そもそも、――。

この翁が見たカップルは明らかに男同士とはいいがたいものであった、と私は書く。しかも翁は実はスクナヒコナに縁の人物であった。とするに都合いいエピソードがこの地にはある。

古来、宮中にサカツラ海岸で取れたワカメを献上するしきたりがあったと風土記にはあった。彼はこのワカメの献上、また交易と共にこの地にやって来たワザオギの子孫だったのである。抑圧された出雲の民の多くは、記紀のウミサチヒコに負けたヤマサチヒコが降伏の印としてなったように、ワザオギ、俳優にされた。芸能は負けた民の引き受けるものという、ケガレを勝手に作った記紀の傲慢な思想で、美しく才能あるスクナヒコナの末裔はワザオギになっていた。

が、それでも誇り高い芸能者たちはこの賢く身軽な神を芸能神と崇めた。ある時、都の芸能者として珍しがられ、強引にヒタチに連れて来られたそのうちのひとりが帰るすべもなくそこに留まって子孫を残した。代を重ねるにつれ、子孫は土地の人々に同化する事も出来ぬままに先祖伝来の知恵や才能を失っていった。その結果が、——馬鹿にされ酒に逃げるしかなく芸能の訓練を受けてもいない、浜辺をさ迷いただ踊り続ける老爺。彼が見た幻は先祖の記憶だった。聖母子のような或いはヒミコとその弟のような、また狩りの女神とそのお気に入りの少年のような——。

神社をひとつにし「女神と男神」を合祀する事を我が国はしなかった。このカップルが離されているからこそ我が国の今日があるからである。しかしこのエピソード故にここが約束の地である事は自明の理となった。

この翁が核心にある幻を私は水晶夢で見て、その夢を糸口にし総ての神話をたちまち自動的に、ウラミズモ的に書き替える事を可能にしたのだった。

というのもその夢だけであっという間に神話が完成する程、入院している間、「ヒステリー（つまり誇り高く自覚的な正常心理）」と「冷静（つまり旧国家に洗脳された家畜のような状態）」を行きつ戻りつしながら、私はこの件を夢の中でも、錯乱、不穏の中でもずっと考え続けていたという事なのだった。それ故——。

たった一度水晶夢を見ただけであらゆる神話の接続方法がたちまち判ったのだ。生まれて初めて、ウカに案内されて保護牧に行ったその場所でだった。

あれから保護牧へは二度と行っていない。その水晶夢は、——一度自覚してみると病院にいた間にもう何度も見ていたような気がしていたのだった。

自分では忘れていたというものの病院での私は何度も意識が完全に戻った事があったそうだ。その時に元々あまり国外には知られていないウラミズモの内情や生活について教えられたのだ。そう、ウカの顔だってその時に何度も。

**うわーっ。**

**私は今九十六歳だ。病院で錯乱していた期間が四十年、覚醒して十年。茨の城の眠り婆あの幾星霜を我が同胞国民我が姉妹は神話の完成を祈りながら——。**

待っていてくれたのだ。「半分家業みたいなものでした」と「三代目」のウカは言った。そう四十年眠る私を待ち続けてくれたウカはひとりではない。ウカは三人いた。今のウカはクローンのはずはないが一致派マザーから出てきた最も「初代」に顔の似ていた孫娘（というのは日本語である。つまり正しいウラミズモ語では孫と言ったら全部女、娘なので普通はただ孫と言う）である、——細かい事情は錯乱した私にはもう判らない。でも、ともかく三代続けて看病してくれた。無論この三代目は時々はこういう待ちぼうけが嫌になって何度も他の入国者とカップルになろうと試みたのだ。が、業のようなものかどうしてもうまく行かなかったという。審査官達はそれを笑っていたのだった。でも最初からウカの相手は私しかなかったのだ。そもそも私から自由になろうとして、他のパートナーをという時にどの場合もわざわざ、亡命入国者から選ぼうとしたのだから。

「家業」として、彼女は私をパートナーに選んでくれた。年齢差カップルと言っても五十歳以上離れている。私を無事に送ったら本当の自分の人生が始まるのだとウカは堂々と言う。当然だと思う。初代も二代目も一旦は一致派のパートナーを持って娘を産んだがすぐに離婚したのだ、そしてずっと私が目覚めるのを待っていてくれた。ウラミズモの現実のいくつかを私は受入れかね、と言っても前の国には何の未練もなく、ただ保護牧と特産物に関して——。

## うわーっ。

実はそれらに関して本当のところどうなのかまだよく判らない。よく判らないから国家に反逆もせず従いもせずただ愛国心だけを募らせている。保護牧で私が見たのは夢なのか現実か。ウラミズモに来たいきさつは最後に述べる。でもそれを書くまで無事に命があるかどうか。

特別措置で連れてきた猫は全部老衰でまあ天寿を全うしたそうだ、私がいないと言って不安がるものは一匹もなく、ウカの祖母を私だと思い込んでいたのか安心しきって生活していたというのである。

私にショックを与えないようにとずっと隠されていた死んだ猫達の写真も、今の家にはずらりと飾ってある。五匹目のニャン彦だけがまだ元気な姿でいる。というのもニャン彦は実はスウェーデンの日本文学研究者がくれた木彫りの猫だったからだ。――錯乱していた間はあらゆる事の区別がつかなかった。

私はもうよれよれでずるずるだ。でも歩いてひとりでトイレに行くし洗濯物を畳んだり食器をテーブルに並べたりする事は十分に出来る（どんな偉い人間もウラミズモでは出来る限りは家事をするのだ）。意識はともかくとして、物も書けるし。

ともかくまず神話を接続する契機となったその水晶夢をここに記そう。

教祖のトランスを発端として建国した我が国では、公共の場所で水晶夢を見ても別に異常な人物とは見なされなかった。特に私の場合神話に繋がる国民的な幻想・ビジョンを体験する事を国挙げて期待されていたのだから、むしろそれは喜ばしい事と受け止められ、翌日にはその事はウラミズモの新聞に載っていた。但し私が倒れ、夢を見た場所は「社会見学中」という書き方で抑圧され、その後ウラミズモの一致派が読む反権力週刊誌に「神話作家の保護牧遊び」という悪意の見出しで出た。

実はその夢見の前、保護牧の通路にずっと流れている教育用ビデオで、私は記憶にある古い画面を発見していたのだった。それが一応のきっかけになったらしい。とはいえその時点では私はまだ自分の本当の歳も、ここの暦も、眠っていた期間も知らなかった。自分はまだ四十代でそれなのに入院生活故に体だけが衰えているのだと、まだこの国には来たばかりだと思っていたのである。

その時の状況をまず示しておこう。ついでに保護牧の事も書き残しておく。書いている途中で死んでしまいそうな気がするけど、その上、まあ書き記したものが国外に出る確率も殆どないのだが。


保護牧は今私のいる場所から電車で三時間、国内には数ヵ所あるがどれも海際で人の住みたがらないようなところが選ばれていた。山や海岸を利用して建てられ、逃亡しても日本には抜けられない場所が選ばれている。逃亡者は発見即射殺、また日本人観光客を装おうにも保護牧の言葉は日本のいわゆる男言葉とは違う。つまり教育して変えてあるので、すぐにばれるという。但し逃げようとした者さえウラミズモ建国以来数人もない。——そこは女のために作られた女によって生かされている男達の監獄のはずなのだが、実際に行ってみるとイメージが違う。例えば人形達は保護牧の男に似ているわけではなかったのだし、ホストのような感じもそんなにない。日本のスポーツ新聞に出ている「私は保護牧から脱獄した」等という記事の語り手は、無論偽者なのだ。

そこに行く前にウカと私はベッチナというレストランで軽食を取った。保護牧の中にはブティックも薬局も無論女性専用でなんでもあるのだが、一般のものよりはるかに高価である。が、私の今の立場でそんな事を気にしているわけではなく、ただ心身共に一致派のウカがそこで水を飲むのも汚いと言って嫌がるからであった。

行く時は化粧するのか、と同じ目的で来た人々に聞くとウカ以外の全員にうけた。「どちらでも」と笑いを堪えながら言うその笑いの意味も、その時の私にはというか未だに判らない。

ベッチナから車で五分程の保護牧に着いた。ガードレールの下は海で、行く場所の印象のせいか水の色までも暗く見えた。牧場というよりも大きい箱で、前面の窓の小ささと屋根まで全部囲ったフェンスが異様だった。いくつかの館に別れているというが、別々の建物にはなっていなくて、ひとつのビルの各部分や各階を館と呼んでいるらしい。またその箱以上に塀が高く、裏側から見るとそれは真っ白に塗ったジュラルミン製で、大きい金色のボルトで留めてあった。その塀には原色で広報にあるのと同じ人間を表すマークが、つまり女二人のマークが大きく記してあり、残りの部分は観光丸出しなウラミズモの風物や名物を案内した絵になっていた。

後方を覗くと鉄柵の外を防弾ガラスで囲んであり一部は直射日光が入るようにして男性に日光浴をさせるらしく、そこには意外にも鉄条網はなかった。しかしよく見ると電気線が張ってあるし監視カメラは二メートル毎にあった。但しそこまでする必要があるのかと思うほど保護牧の男性は弱々しい。

あらゆる抑圧をするので半病人のようなのも多くそれでも元気なものは重労働をさせる。ここで作られたウラミズモの針葉樹を材料にした高級家具は、重要な輸出品のひとつだという。

建物は入口と出口と荷物搬入口が各ひとつずつで、搬入口からは男性飼育用のや女性接待用の物資が運び込まれていた。宅配便のトラックが始終着くようだがどんな異様なところにも宅配便は来るのだと思うと、黒い、笑いがこみ上げてきた。

ここの職員は国民から嫌われ差別されていた。人々は保護牧に平気で行く癖になにかという と「保護牧の職員のような」という慣用句を使って自分の欲望のうしろめたさを彼女達に転嫁した。それは冷酷、鈍感、けち、無責任、無信心というようなニュアンスで使われるのだった。なお、ここにも男性の権利を取り戻そうという動物愛護的な団体が一応あったが、普通の動物愛護家とはまた扱いが違い、一部の気の狂った女のする事とされていた。

建物の内部に入るとあちこちに分離派を表す、女が鎖でつないだ男を連れている記号がある。奥に行く程やたら若い男の写真がべたべたはってある。性交をするのではないのだが、「相手」をさせるのだそうでまだほんの子供のような少女、それもミイラのように痩せ無神経そうで口の臭そうな派手な女が、こっちの目から見ると少年に等しい男性を写真だけで何人も選んで札びらを切っていた。彼女が自分は金花高校（創立者の名にちなむ愛称である、正式には白梅高等学院）の出身だと何度も得意そうに言うと、その度に保護牧の職員が畏まっていた。何をするのかが不明なので感想は差し控える。ただ、――。

それらの写真を見た事とその後の一巡の感触とで言うと、保護牧の男達は別に魅力的というわけではない。「普段の環境に男がいないので生きた男をみるだけでも下品な分離派は喜ぶのだ」と吐き捨てるようにウカは言った。しかも写真の男達は別に仮夫に似ているというわけでもない。プロポーションはよく整い化粧もしているが薄気味悪い。――仮父仮夫のモデルは外国の雑誌やビデオから取っているそうで、外国というのは無論日本も含まれるのだが、日本人の男をモデルにする場合には虐待用で常にその人形を監視しぶったり蹴ったりする。

この保護牧は龍子の生前に原発と同時進行でもう建てられたのだ。という事は日本政府が原発で働く労働力を欲していたという事なのである。但し原発はもう極限まで機械化されている。初期の保護牧は女性だけの教団に無理に参加したマゾヒストの男や、男の先祖が女性差別をしたのでその罪を償いたいと言う男達が、自主的に家畜になったなどと言っているがそんなのは神話以上の「創作」だろう。

原発の話を私が書かないのを不思議と思う人がいるかもしれない。が、恵まれた環境であちこちを視察し、その一方で言論を統制されウカに見張られる私に、そういう「危険で問題の多い」場所に行く「自由」はない。体が回復してからは海からも離れた高級住宅に住むようになり、住まいの片側はもう日本なのだ。それでも日本に逃げる事が出来ない程私はこの国に慣れてしまっている。「飼い馴らされる」という言い方はあえてしないが、というのも――。

日本での私が女として男性社会に飼い馴らされていなかったという保証はないからだ。どこにいても人間は国家に飼い馴らされる。

保護牧を歩きながら、ウカに「龍子はここを神話的にどう捕らえているか」と聞くと、「神話的には何の意味もない、神話に出さず、見えなくする事が保護牧の意義だ」という答えが返って来た。そもそも分離は不信心な奴が多いと言うのだった。

男性保護牧場は歴史館レトロ館ライブ館と交流館、またこの国ではエリートである金花高校（当然女子校）の卒業記念館を兼ねた未来館の公開五館そして、学女相手にのみ一部公開の飼育館と労働館、休息所の非公開三館があった。この金花高校と保護牧の関係は深く、あちこちに卒業生寄贈と刻まれた男性差別的なオブジェがあったりした。

私が水晶夢を見たのはその中の歴史館から交流館までをざっと通り過ぎた後であった。――歴史館は初めての利用者が必ずまず訪れなくてはいけないもので、ここを通過しないと他の施設は利用出来ないという仕組みである。そこは女性受難の歴史を総括、展示した館という事に建前上なっていたが、基本がどうであれ、それはいかに女が黙殺され歴史の中で消され見えない存在にされていたかという事をフィクションのようにして楽しむ場所になってしまっていた。但し、――何人もここで女性差別史を学ばないと保護牧には入れない。

男性観光客も鎖付きでこの館には入れるのだが、女性受難の場ですこしでも嬉しそうにしたものは直ちに奥の飼育館に連行されてそこで飼い殺し、或いは処分される事になっていた。この歴史は差別史、の中に黙殺という項目を立てた一分野があって、そこには男の歴史からはみ出た女の列伝がある、というものであった。

とはいえ国内において差別史の真面目な説明や細かい数字は他国のものも日本のものも政府の広告、広報、愛国団体のスピーカーからいくらでも流れて来るので、それについては外国からの観光客に向けてだけ職員が授業（ガイダンス）を行う形になる。

国民はまず女性に対する残酷な処遇や拷問の場面の蠟人形を見る。女性受難の歴史のジオラマがある箇所ではイヤホンの説明を受ける。いるはずの女性芸術家がいない事にされて盗作されたり、働く優秀な女性が会議で黙殺されたり欠席させられたり、社会を批判したら発狂していると閉じ込められたり、高い地位にありながら女というだけでなめられたり、紳士専用のクラブや土俵から拒否されたり、というような場面では、彼女達が当然いるべき場所に透明プラスチックで当の女性名を刻んだプレートが立てられている。また主婦が介護をしたり子育てをしているのを一切黙殺して全てを男と姑だけの家族会議で決めたりしていた事も糾弾される。それらを眺めた後はともかく男がいかに馬鹿で間違った存在であるかを示す日本のたわけたテレビ番組のビデオを鑑賞する。

そういう番組を一部の保護牧好きは「男が偉そうにしていてとても不潔だ、つまりそこが新鮮で刺激的だ」等と言って変態的に鑑賞するのだが、インテリの多い一致派はそもそもこういうあざといところには絶対来ない。「女権なんてないですよ、別に男尊女卑でもかまわないですよ」と逆説を弄び、保護牧がこの世にある事すら徹底的に無視するのだ。が、多くのウラミズモの健全、純朴な国民はまずもう「我が国」では過去のものとなった女性差別や搾取のあまりのひどさにハラハラどきどきし、その後日本の男が女について語る、或いは日本の女を侍らせて大物振る類のビデオを見て爆笑し、殆どがそこで納得して帰る。――出口には来館記念グッズの売店や記念撮影のコーナーがあり、コスプレが出来るようになってもいる。

記念グッズは現存の日本マッチョ文化人のきぐるみ（無論醜悪化してある）からセクハラで有名な偉い日本男性作家のパンチ用巨大起き上がりこぼしまで各種、女性差別的な言葉や女を貶めることわざをプリントしたTシャツ（今の日本でもとても使わないような死語化したもの）、ウカが付けていたオスのマークのピアスまで様々である。但しこれはここでしか販売できず、ピアスも国内でだけしか着けられない。国外に持ち出そうとすると罰せられる。またそれらのグッズには必ず保護牧場のマークが入っており、それがこの施設の存在を前提にしてだけ許されるギャグである事を明示している。日本で類似品がマークなしに出回った時、ウラミズモは責任者の引渡を日本に要求し、当然犯人のうち男は保護牧送り、女は子供を除いて全員死刑になった。

また記念撮影コーナーにはこの国のここでしか見られない、痴漢のように手を突き出している男性人形がある。一番単純な記念撮影だと、ここでバニーガールのコスプレをして人形の手の位置に合わせ、おとなしく微笑んでそのまま一枚、その後人形の頭をバニーのハイヒールで踏んづけて或いは蹴り倒して一枚、――人形の顔も頭もズボンも今は女の靴の踵の型で凸凹になっていて、顔面は完全に磨滅しているがわざと修理しない。希望者は一定期間記念写真を出口の壁に貼って貰う事も出来る（ウラミズモでは記念写真は重要でどの家でも立派な額に入れた写真があちこちに飾ってある）。そうした写真を見るとウラミズモの女性は平均身長も高く、精細胞を外国から輸入しているせいで足が長く彫りも深く全体に整っている。但し筋肉の付いた太い手足、すね毛はそのままにしていて、肌のきめも粗い。それが決して男好みではない自信まんまんの人を小馬鹿にした様子で、胸と肩を張り、ふわふわしたウサギの尻尾を付け、真っ白な歯を全部出す西洋人の笑い方で笑っているのである。

女だけの国なのでどんな男好みの恰好をしても国民の「健全な感覚の範疇」で言えばそれはエッチではなくギャグだ。無論それでも足りずに別の館に出掛けて行くものもいる。

ライブ館というのに行くと日本で見覚えのあるマスコミのマッチョ男達の公演をしていた。覚醒剤にでも嵌まりウラミズモの飲み物欲しさに来たのか、或いは札束で面を叩かれて割り切って来たのか、或いは本人ではなくそっくりタレント（保護牧で育てている男タレントのクローンという説もあるがバイオにしろ何にしろどこまでの技術を持っているのか、秘密主義国家な上に私は四十年も眠っていたのでよく判らない）というやつなのか、喋りの内容は日本と同じなのに笑うポイントも反応もまるで別で、しかも男共は真面目にウラミズモの女を教育し直そうと思って説教までしている。公演の最後に花束贈呈までウラミズモはするのだが、それは当然コスプレ料を払った飛び入りのウラミズモバニーが大得意で引き受ける。国民になってしまった私から見ると悪夢のような眺めなのに男達は何も感じていないようだ。レトロ館になるともっとひどく、ヘテロの男に昔で言う、やおい的演技をさせて苛めていた。男達は変な王子様とか変なロック歌手の仮装をさせられて発狂ものの「て、に、を、は」も変な愛の言葉をささやかされ、しかも分離派から男になりきっていないと野次られているのだった。その上彼らは自分のしている演技の意味をまったく知らされず、オリジナルの一番幼稚なやおい小説どころか文字も漢字も読めず、台詞はお経のように覚えているだけ、やっている事は保護牧職員の指導通りの動作なのだった。そもそも保護牧の男性に自我や精神性があるはずもなく、というより既に人間として形成されていない。無論ここで生まれて育った男性の殆どはここ以外の施設どころか外の空気も吸った事がない。他国では想像を絶するような保護牧の教育、もとい飼育方法によって、様々な外見や受け答えだけが外の国の男性と一見似ている、「接待用」の男性が作られたりするのだ。つまり逆遊廓。いやそれ以上だ。

遊廓のかむろだって多くの場合、外を知っている。買われてくるのはせいぜい三歳だろう。それまでは少なくとも「年貢が怖い」位の記憶は残るのだから。

保護牧の中には学校という程のものはなく、ただ、いくつかのクラスがある。総数せいぜい数千人の保護牧男性は衣服の着方、歩き方、敬語、接客だけは全員に教えられるものの、基本的には外の世界の事は一切教えない。ここの女性は男が知性を表したり性欲を自覚したりする事を好まない。というよりそれ以前のレベルの教育しかしないのであって、例えば生粋の保護牧男性中貨幣について知っているものは数パーセント、実際に使った事のあるものは当然ゼロだ。様々なタイプの女性の要求にあわせるため若干の社会性を与えられたものはいるし、十歳までは外を見学させたり、美術館を見せたり、また芸事だけを習わせる特例はある。但し、十歳というのは平均的な女性が体力で制圧し得る年齢という意味であって、体格がおとなになればもう閉じ込めてしまう。それでも外に出られる場合は労働用として「精神改造」された者だけだ。しかも外に出る時は男子が街路を歩いていると不快だという女性、また保護牧の男が「すれてあばずれになってしまう」と懸念する女性のために出来るだけ人目に付かぬ時間帯で、芸術鑑賞などの場合は女性と日を分ける。教育程度は様々だがどれも一歩外に出たらもう生きていけないようなレベルのもので、ただ彼らの中ではその教育程度によって学歴差別のような格差や派閥まである。それは保護牧という箱庭の中の戦いである。――知能を無駄に消耗するような事が高級とされ、歪んだ接待教育によってその日の新聞に載っている経済情勢や内乱について全部毎日暗記して喋るように叩きこまれても、棒読みと同じである。

その飼育館は一般に公開しておらず、無論帰化したＶＩＰにまずいところは見せないから私は入れない。男だけで男の子を育てているという事だったが、立ち方、女への視線も規制され卑屈な礼法があり、言語は相槌のためのものだ。ここの男は性欲や食欲を「最小限の苦痛でコントロールされている」と職員は説明している。飼育館にいる子供の頃から体質改善をされた存在だという事であった。

結局、観光客が一番興味を持つ交流館で入口近いブースに何十分か居た。が、それだけでもウカが嫌な顔をするし私もあまり好きではなかったので出てきてしまった。つくりは社交場のようになっていて飲み物の値段は保護牧の中でもとりわけ高く、カラオケのセットまであるのだが、別に逆キャバクラのようなものでさえない。家具のように男がいてませた幼児のように口を利くがまともに質問すると何も答えられない。ただ笑っている。

変に賢そうに口を挟むのは言葉尻だけ捉えて機械的に「逆らう」方法を教えられているから。また実際は女の下位なのだが保護者のような口を利いても、何の権限もない。それでもウラミズモの女にとっては変態的で刺激的らしい。交流男の座り方は無駄に色っぽくまるで拘束されてそうされているかのように変な姿勢をずっと続けていて、服も拘束っぽい。いつも人工的な肉体を強調しているのだ。また妙に元気いいと思ってると足首からチェーンが出ていて結局繋いである。

女性の様々な好みに合わせ異様に日焼けさせられた男もいるがそれは例の日光浴場で焼くの

でなくエステで使う機械があるのだという事だった。無論女性用の健康器具等と違い発ガン性等考慮せず、体を害しても日焼け効果を優先するようなきつい機械である。

この館では強制エステとしか思えないようなひどい飢餓的ダイエットの施設があり、また毒物として作用するような可能性のある美容液や新薬を男性に浴びせかけるのが当然の事になっており、後々ガンの原因にでもなりそうな危険なデオドラントグッズを使用させられている男ばかりだった。またライブ館では整形をしたがらない保護牧男性に「前向きに生きろ」とか「君は男を捨てている負け犬だ」、「一生女の玩具にもなれず無駄な生を終えるのか」などとお雇い日本人が迫って、「本人の意思でチャレンジして」整形をさせるという人気ショーがあり、きれいになると交流館で使って貰える。しかし整形は医師が好き勝手にやるので後々型崩れするものが多く、醜くなると処分されるだけ。またきれいになると言っても何かチャラチャラしてすけべそうになるだけで、その上交流館ぽい変な服装もさせられるのでワンパターンにはまる。が、そうでないと交流館は勤まらないのである。——どんなに寿命や健康を損なってもここに配属されたい男性は自発的に痩せようとし、美白または日焼け、皺取り等に熱心になる。ともかく他の館よりはいいとここの男性は言っているばかりか、他の館の男は才能がなかったからここに来られなかった等と言って差別をして生意気である。が、その口調がまた棒読みなのだ。

「交流館の男のように生意気だ」という慣用句があるように男でもここは知性を発揮出来るという建前になっている。但しそれは日本から雇いいれた接客教育係の女性によって教育されたものを女を喜ばせる事もただ習わせられるだけだ。

「ここの男だけはウラミズモでも別だ、自由で逞しい」、また「セックスレスでも性的な魅力を発揮しているので性の自主性という『人権』を男は持っている」、などと自負する演技もする。しかし他の館で例えば飼育館などの幼い男の子が変な服装もせず、すけべそうにもせずに知性や自主性だけを発揮するとたちまち殺されるので、ここに来る男性は成長するまでは馬鹿のふりをして暮らしていたものが多い。そしてウラミズモも男性差別ばかりでないと知ってほしいなどと客はともかく、当の交流館男までも日本の観光客に言い続けている。が、その単語の意味も本人は知らない。若くてきれいなのも才能のうちだと言って威張る、特に生意気な男までいたが、美貌イコール延命というシステムになっている交流館男の寿命は短いのだ。

交流館の男の着ているものの露出度が高くど派手なのに私は驚いた、エッチかどうかという以前にただもう布類が少なくそれで皮だったりラメだったりしてぺかぺかしている。肌の出ている部分はサイボーグのようにきれいになっているがそれこそ不自然と言える。しかもその大量に出ている身に皺一本出てもここにはいられなくなる。その理由は女の客が「皺があったり脂肪があったりするとまるで男のくせに人間みたいで汚くて気持ち悪いから」というものであって、保護牧好きの女が喜ぶのは人工的なモノとしての男なのだ。「男が実際にいて気持ち悪いのが刺激的」と言う変態分離派にしても、本当に男が男として生物的現実的に存在すれば、或いは対等に向かってくれば嫌がるのだった。またそういう派手な恰好と対照的に、日本の不快な男とそっくりの衣装を着せられて何か日本男性のした事をやつあたり的に責められ罵られている男性もいるのだった。しかし日本の男とそっくりの恰好には制服が多く、個人ではなくあるタイプ（人形）を演じさせられているのでやはり老けたり弛んだりするとお払い箱になる。

一致派の女同士のパートナーは皺があると人間的だとか一緒にいた歳月の記念だとか尊び、老女になった相手を介護するのを究極の愛と言ってるが、それと対照的だ。無論そういうケースになったら介護の合間に保護牧に行くのが唯一の楽しみだなどと平気で言うようになる女性もごろごろ出てくるが。

館で好まれる男の容貌というのは特になくて見栄や虚飾を捨てると外見の好みは様々になる。これは上流社会の一致派が同性を社会的パートナーとして選ぶ時と正反対で、大金持ちの女や有名な女がパートナーに求める基準は時に、ワンパターンなのだ。ただ一致派のパートナーは相手がなんと言おうと好き勝手な恰好をするし、元々女はどんなエッチな恰好をしていても「冗談のきついタイプ」と思われむしろ好かれるし、どん臭い身なりだと知的だと思われる。センスの差が出るのは配色やシルエット、仕立て、ＴＰＯとブランド等であり服装で性的人格的蔑視を受ける事はない。

保護牧では建前上性交はしないというよりそれは犯罪になっている、また保護牧の男には出来るだけ人間に近い扱いをし最低限の苦痛しか与えてはいけないという規則が最近出来たので交流館好きの女達は目をつり上げて怒っていた。とはいえ、――「奥のブースで男を虐待したり殺したり、時には原始的に子供を作って男の子なら保護牧に産み捨てて行くのではないかという疑いが持たれるようだがそれは誤解である、なぜならここは官の運営する公共施設なのだから」という観光客向けアナウンスが何度も流れる度に、男と交流している女達の何人かはなんとも言えないうすら笑いを浮かべ、しかし多くの女達はまったく機嫌よくにこやかに、まさに淑女としてビジネスやスポーツの話をしているのだった。つまり交流館と言っても男と交流するわけではなく「潤滑油として（日本で死語になったこのフレーズもウラミズモでは生きている）」可愛い動物を交えて食事したり酒を飲んだりし商談もするし、根回しの場や、社交場の役目を果たしているのだった。

交流館は実は観光客の一番入りたがるところで外国人の使用料金も異様に高く、同時にディープな場所でもあるから外国人立ち入り禁止のところがあちこちにあった。またここまで来るとあの意地悪の直喩、「保護牧の職員」もずらりと監視していた。

保護牧の男性がどこから「調達される」のかは、ウラミズモの国民でさえそれこそ「黙殺」していて殆ど考えてもいない。「当然すぎる事実」、なのでわざわざ保護牧のシステムを考えて見る女などどこにはいないのだ。もし誰かが「あの男性達はどこから」と言ってみたところで相手はただもう「男性」という言葉だけで蔑みと喜びを同時に現したおふざけモードになる。それは日本の男の多くが「セクハラ」或いは「ロリコン」という言葉をシリアスに使う事が出来ず、女性の真面目な相談事にもたちまちはしゃぎモードになり自分好みの猥談を大声で始めてしまうのと何ら変わりないのだ。

保護牧の男性は「試験管で作られる」と国民には建前上説明されているがそんな事はもっともお人好しの国民ですら信じていない。まず自分の「息子」が虐待されるところを見たいので卵子を提供しに来る男性憎悪亡命者の子供であるという俗説が根強い。また日本生まれの私にはどう見ても日本産の男性にしか見えないのもいる。ここで育ったものは保護牧内での繁殖には無論使われるが性交による妊娠がない事は当然で、「何も考えていない」日本の女性を仮母にして、国内のドナーの卵子で保護牧男性の子を増やしているという説が主流だった。

不気味なのはここの女性達がそのような俗説を信ずる一方でここの国民である女性と保護牧男性との血の繋がりというものは一切否定する事だ。「違う生き物です」とすらっといい、お好みの保護牧ギャグをかまして笑って忘れてしまう。それはあたかも買春しながらそこの女性が自分の子供を妊娠しないと固く信じている日本男性のごとくである。

完全な保護牧育ちと日本産男性はやはりどう見ても違う。日本産は薬欲しさに来るものやマゾヒストのひどいの、発狂した男、またエリート過ぎて現実認識が出来ず自己放棄に憂き身をやつしているお坊っちゃま等だろうかと推定するが、どちらにしても実態を知れば後悔する事だろう。

ちなみに本来の保護牧育ちは結局心身共に問題のあるのが多い。この国には「箱入り息子」という言葉があるがそれは保護牧生まれの生粋の保護牧男性を指す言葉なのだ。安くて扱い易い規格品というような意味で使われている表現である。日本産は「面倒で高いがマニアもいる」と言っていた。

国策的に言うと保護牧は利用手続きが面倒で民間と違う感触の施設であるにも拘わらず政府はここを支えるどころかこれで収益を上げようと思っていた。他国が麻薬や売春で利益を上げるように観光客（リピーターが多い）が一番お金を使うのもここという事だ。私設の保護牧で禁止行為をさせて荒稼ぎしようと思うものはいるがすぐに摘発される。結局「男性のいるところ」というのは即保護牧である。

というか、ウラミズモの男性の数は女性と比べてもともと、圧倒的に少ない。一パーセントもいない、と言いながら公的機関はその数を把握してない。理由は、処刑数や「事故死」が多くいちいち記録していないからだ。そもそも一致派にしろ分離派にしろ自分達ではまず女の子しか受胎しないし女の子しか生まない。そして対外国的には「男性の出生数が激減したので」とSF『女と女の世の中』に出てくる鈴木いづみの女人国を引用したかのような大嘘をこいている。数が減少したので集めて保護繁殖させるなどと。

その中で労働力として保護牧育ちの、一定年齢を過ぎたもののごく一部だけを「精神改造」して外へ出している。肉体労働は作業ロボットがいるし物資の殆どは日本製なので余程の事がないといわゆる「男手」は必要としないのだが、観光用のアトラクションでコスプレした女王様が命令したりするウラミズモ労働に使うし、何よりただなので。

一度そういう男性を車に乗っていて窓から見てしまった。銃を持ったまだうら若い非常に太った肌の汚い女性が刺青のような刺繍のあるつなぎを着てトラックを運転し、工事現場に男を連れて行って働かせていた。「神経系とかちょっといじっちゃっておとなしくなってますけど、繋いどけば仕事には使えますよ」というのだが。

保護牧男性を払い下げられる特権を得ているのは幼女、少女時代にウラミズモに貢献した女性達で。

**うわーっ。**

彼女達の中にはこの人件費がただの土建業や宅配業、原発も含めた「男手（この国ではただで酷使される保護牧発の労働力の事）」による派遣業を起こすものもいる。が、財産家はいない。結局、我が国で金持ちというと多くは原発技術女か医女、保護牧の高級職員である。だいたい派遣業女性達の富は普通一代限り、しかも保護牧でぱっと使ってしまう事が多いので残せないのだそうだ。――なお、このような「男手」を労働させる時女が男に使っている言葉は非常にシンプルで、男性は言ったとおりにしか動かないし意思もないように見える。その日、自分でも恐ろしいと思ったのは――。

初めて見たその光景にとっさに目を背けて、なかった事にするという行動を思わず取ってしまった事。女の身でありながら、というかウラミズモの女の当然の権利として、都合悪い不快なものを黙殺したのだった。――自分は日本ではブスとしてばばあとしてヒステリーの「女流作家」として黙殺され無視され、文学の論文や理論的な発言はすべてなかった事にされ、一定レベルに達した発言も女の言うことと無視されるような目にさんざんあって来た、無論、女の人権は日本にはあった。その人権の定義はやや問題だが少なくとも選挙権もあったし所有権もあった。だから不当な労働をもしさせられてもそれは賃金差や精神的な差別だけだったのだ。

にもかかわらず、あのようなひどい差別を目の前にした時、私が取ったのは、――。

日本の男がするのよりももっと醜悪なそして構造的には日本の男とそっくりの「黙殺」だった。私は全てをなかった事にした。しかも、それから何日もしない内にもうひとつ見てしまった。それはレストランベッチナから保護牧に行く直前の事だ。――女人帝国ウラミズモという判り易いコンセプトに則ったまさに観光客を安心させるためのそのステロタイプな飲食店には、丁度炭酸水のケースが運び込まれるところで、カウンターまで荷物を運んでいた男に――。

鎖が付いていた。ベッチナという店名は昔の西洋の有名コミックに出てきた、小間使いをおしおきする意地悪な女中頭をイメージして付けられていた。が、ウラミズモでは小間使いではなく男がアタられるのだ。ただアタられるのなら日本のＳＭ的な店（知らないが）だってそういうパターンのがあるかもしれない。しかしそこではアタるといっても苛めるのではない。無視をするのである。シカト苛めという意識すらない。ただの無視だ。

ベッチナでは頭をそのコミックの女中頭そっくりの大きい髷に結った大柄なウェイトレスが怖い威張った様子、という事はウラミズモの対男性普通モード、で料理を運んでいる。男性観光客は、入るとすぐお子様椅子を絶対出られないように作り替えた男性用の拘束椅子にくくりつけられるし飲み物は女性の分しか来ないし、無論そのままそこにいないかのように遇されるのだ。それ故にそこを男性拘束レストランと呼ぶ。それは男性を連れた女性でも気軽に店内に入って食事出来てその間男性が邪魔をしないように拘束しておくサービスをするという意味の名称である。但しそれでも男性が入れるだけましで、――。

つまり男性が入れるだけまだしも男性に寛容な店とされる。そこでそういうところをまた男性優遇レストランとも呼んだりする。男性観光客が入れる飲食店は他にはなく、また建前上男性には料理は出さないのだが、観光政策として女性客が残り物を上げる事は黙認されている。しかしその場合でも取り皿を出したりは絶対にしないし二人前これみよがしに注文し男の口に入れてやったりすると店を叩き出される。その上料理を運ぶワゴンや女性に対するサービスの邪魔にならぬよう拘束椅子には車輪も付いていて、椅子ごと部屋の隅にすぐに移動させられそのまま忘れられたりする事もしばしばあった。

肌のあれた髭の濃いこのベッチナ達は女性観光客を全員お姫様と呼んで（奥様という語はこの国では一致派で金持ちや有名人のパートナーになっている人にしかいわない、つまり男性を連れた女性とは手のかかる特危ペットを飼っているに過ぎないのだ）侍女、というより騎士が女王に仕えるように丁寧にし、あまりの差別待遇に男が叫んだりしても一切黙殺する。食事が終わると女性客が引率し易いように男性を散歩用の拘束具につなぎかえて、ベッチナは跪いて両手で女の手にその鎖・リードの端を渡し、「いってらっしゃいませお姫様」と言って送り出すのである。観光地でもし男性の鎖を外すと女性は始末書と高い高い罰金を取られるだけだが、男性はそのまま保護牧送りである。

異様だったのはレストランで鎖を着けられ重労働させられている男性を見ながら、日本の女性客ばかりではなく連れの、つまりベッチナズに無視されて差別されているはずの男がまったく平気だった事で、自分の待遇のひどさに怒る男性は店を出る時に人権の大切さを学んだなどと騒いでいる癖に、「同じ男」が強制労働させられている事には何の関心も払わなかった。

その時は日本で問題にならないのかとウカに聞いてみた、無論、国内でそんな話は聞いた事がない。いやそう言えば一度、日本にいた頃、「ウラミズモで男性がひどい目に」と話題にした人がいたが、そこにいた人々は男も女も一斉にその件を黙殺した。ただ後になって、「あんな下品な国を話題にして」と発言した本人が馬鹿にされただけだった。

「日本人は海外の事件に何の関心も示さない」とウカは言った。原発がウラミズモという外国にあるだけでもう市民団体以外の人々は何も心配せず関心も払わない。それと同じなのだ。

「同じ事ですね、外国でオランウータンの子供を睡眠薬でふらふらにしておとなしくさせ、街頭で一緒に記念撮影をと言って金をとる商売、あれを動物虐待だと思っている日本人観光客は少ないでしょう、またもしオランウータンが薬でぼろぼろにされている事を知っていたとしても、だって可愛いんですもの、で終わりですよ、同じ事です」――こういう話をする時のウカは日本の威張った亭主のように機嫌悪く、しかも辛辣だ。

「ベッチナ」のメニューは野菜が新鮮という程度で出雲の食材や料理が珍重されているだけだった。出雲より南にある国の料理が高級品という事になっていた。味を重視するのではなくて南方というイメージが大切らしい。

水晶夢を見た事に話を戻す。疲れないように柔らかい絨毯が敷き詰めてある広い廊下を私は歩き泥《なず》んでいた。廊下の間には例えば水族館で移動通路の壁に魚の生態や知識のビデオを流しているのと同じ感じで、画面が動いていた。ただ水族館のと違って種類は少ない。またイヤホンで聞くのではなくその時はただ、一種類のフィルムを音響と共に流し続けていた。それ故に歩いても歩いてもひとつの画面を見つづけているような感触が残った。またここまで奥に来ると何の装飾もなく。

つまり未来館は同じ建物の中にあるというのにやたら遠いのだ。でもウカは建物だけでも見るようにと、というのもそこは絶対に観光客には見せない故——。

**うわーっ。**

歩いているうちに壁に流れている画面が薄紙のように何枚も何枚も背中に張りつきのしかかっているような状態になってしまっていた。目で見ていない画面を背中で見ている、そういう奇妙な体感。そこから夢に入っていたのだろうか。それともその時点ではまだ少しは覚醒していたのだろうか。黒白の古い型のテレビをいつしか私はブラウン管の部分が背に当たるような形で、背負わされていた。私の背中には目玉が生えて、至近距離で画面に角膜が当たるような様子でそれを見させられていた。そこからは明らかに夢というわけだった。

テレビではインタビュー番組が始まっていた。口をへの字にして首をかしげ、憮然としつつも、ぼーっとしている小柄な若い女がそこに映っていた。パーマをかけた髪は長く、顎だけかくっと上げ、オープンカーと三枚重ねの付け睫にふさわしいようなサングラスを掛けて、人を揶うように見る姿勢でいた。体調のせいか、そういう性質なのか、彼女はどうも言葉が出にくいらしく、出てくる声は太く暗くしゃがれていた。そこで私には蘇り過ぎる程記憶が蘇ってきた。するとある一方向だけが「遠く」まで見えた。その画面に登場している女性は建国の間接的功労者のひとりとして、ミーナ・イーザの神殿に名前を彫ったプレートを掲げられているのである。

いつしか、——私は十五歳になっていた。確かに子供の頃のテレビで見ていたはずの画面なのだ。あの時、子供の考えで「こんな女駄目だ」とすぐ思った事が蘇って来た。まるで身の上相談のテレビに出てきて、叱られる相談者のような様子だから。印象はあまりにも鮮明だったが。

七〇年代の女、作家で女優、年は二十一だ。「声のない日々」という作品でデビューしたのだそうだ。背広を着たふっくらした男のインタビュアーは、十五の私の目にはもちもちしたおじさんに見える。「この男駄目だな」と私は思う。男は常識代表の振りだけをして躊躇した様子で、女の作家に言う、但しわざとらしくきがねして見せる一方で少し嫌がらせ的になのか、ちょっと下を向いて。

「あなたは」、「エッチなおじさん達の好きな」、「映画に出ているけど」——こう言ったのだ、確か。すると、女の顔の中で、——。

サングラスを掛けたまま何かが裏返った。どんな感情が発生しているのか誰にも判らない。

でも見ていた母は大きな声で心から「納得」して言う。「ほら、顔色が変わった、ほらやっぱりね、エッチな映画に出ていると言われた途端にさーっと様子が変わった、平気そうにしてても、結局はね」――。

いつのまにか、――母と一緒に十五歳の私がテレビを見ているのだ。茶の間にいた。田舎の抑圧された暮らしの只中、テレビも退屈だ。母はもう死んでいるしそれは昔の記憶だ。でも母は隣に座っていて私は十五で、と私は繰り返し不審がった。すると、――。

母の納得よりもっとずっと激しい納得のように、自分が夢の中にいるという事がなまなましく自覚された。どうしてなのだろう、十五歳の私はその日彼女に奇妙な優越感を覚えたのだ。別にエッチな映画に自分が出ていないせいではなかった。もしもエッチな映画に出てしまったとしても、自分はもっと誇り高くしているだろうと思ったのだ、なぜか。作家になるつもりもその頃はなかったのに。でも自分よりずっと綺麗なおとなの女に対してこう思った。私は男なんだ、本当は男だから男から求められない、結婚もしない、テレビにも出ない。エッチな裸になったたって男と同じだ。その上、――。

「私はあんなのじゃない、私だったら何が危険か知っているし、もし人前に出るなら絶対相手に勝つ、勝てないところに出ていくような計算違いはしない」、と。自分がもし男からああいう事を言われたら絶対に言い返して相手を赤面させる、そうでなければ当日すっぽかしてやる。――でもそれは愚かな、「子供」の浅はかな全能感だった。つまり私は物凄く嫌な「女」だったのだ。

心のきれいな好かれる女が、カッコいい女というわけではない。男からみてカッコいい女というのはただ男から食い物にされる女の事だ。そして私の「本当は男」という考えも実は「嫌な強い」女であろうとする子供らしい意思に支えられていただけかもしれないのだった。

おとなになった時、自分の考えがどんなに甘かったか知った。男は女が「強く」ふるまえるシステムなど全部あらかじめ潰した上で世の中を作っているのだった。そしてもし本当に「強い」女がいたとしたらその女はただいない事にされてしまう。あるいは「嫌な強い女」がいたとしたら、それは無論ただの「嫌な女」にされてしまう。その上「嫌な女」の生存は許されない。振り返って思った。「嫌な」というのはまさに「男にとって嫌な」女だったのだ。

そこから、――。

私は夢の中でものを考えられるという充実した状態にどんどん入って行った。深層を掘り起こす小説を書くと、私は日本の読者から言われていた。また、そういう思考の中で日本にいた頃の私が得たのは、多くは世間のきちんとした「常識」であった。夢の底を掘り起こしそれを言語化すると結局は「常識」が現れるのだった。

錯覚ではない。私はその画面を実際に昔見ていた。鮮明に覚えていた、だから、あれから保護牧に行ってないから言うが、画面の存在自体が既に水晶夢だったという可能性もある。無論ウカに聞けば判るのだが、いや、だがウカは正常な人間だから「その時何がどうだったか」など何も覚えていない。そもそも保護牧という言葉を聞いただけでウカはいつもなら思考停止になり不機嫌になるだけだ。

或いは最初に、歩きながら記憶を引きずり出し、考え事をしていて、それがいつしか水晶夢に移行していたのかもしれなかった。気がついた時、私は現実では鼻血を流していてウカはそれを拭いていた。画面はもう他の功労者のものになっていた。覚醒してから点滴をして貰ってウカと私は保護牧の近くのホテルに泊まり、一晩中ウカに抱き抱えられ神話の構成を全部口述で筆記して貰い、飲み物を貰い、さらにウカからは軽い「刺激」を与えられて眠った。というのは私がもうここで死んでもいいとウカに言ったしウカもこのまま私が死ぬとしたら病院で死なせたくないと考えたから（そこでウカと私はカップルがするべき事をしたのだった、しかし私が回復してからは何かこの事をお互いになかった事にしてしまった。そういうわけで私達は結局まだ公式のカップルになっていない）。なのに、私は翌日ホテルに駆けつけた医師に大丈夫と言われ、水晶夢の話をすると国民のためにもぜひ保護牧に、というより保護牧唯一の真面目な場所である未来館に行くようにと励まされ、その後でついに保護牧の核心を。

## うわーっ。

夢の続きをのべる。ホテルの個室に入った時いつのまにか私は中学校の制服を着ていた。ウカに支えられ歩きながらもうひとつの水晶夢に入っていたのか、ウカとの移動中も保護牧で見た夢の続きの中にいたのかいまだに不明である。制服を着ている私は今の年齢だった。夢うつつに本当の年をウカに教えられたばかりだったせいか、夢に出てきた私は（実際には訪問美容女が髪を染めてくれていたしその他の美容術で外見だけはさして老いても見えなかったのだが）総白髪だった。夢の中にまた古い記憶が出て来ていた。それは凄まじく気持ち悪くしかしその割にはまるで他人の記憶のようであった。

　雨で夏の制服の白いシャツが透けた時、十五歳の私はまだ自分が男だと思っていたからシャツしか着てなかった。通る人のうち、男だけが足を止め何度も何度も振り返る理由は判らなかった。

　夢の中の道端に分厚い眼鏡をかけて前歯を出した、丸顔ざんぎり髪の薄気味悪い男が、劣等感で硬直したような顔付きをして、ぐさぐさにアップリケを付けたショールカラーの服を着てつっ立っていた。しかしそれは記憶にない場面だった。彼は泣きながら小さい着衣の女の子を抱きしめ撫でさすって、子守歌のように実に悲しそうに何か言っていた。但しその撫で方は変で、例えば母親が赤子にするようにリズミカルにする、或いは医者が患者に自信に満ちた力を込めマッサージをする時のような撫で方ではなかった。幼女の体の隈々《くまぐま》を執拗になぞったり一ヵ所に力を入れ鷲摑みにするような、非常に気色悪い手の動きだった。

「女の子だな、女の子だな、女の子をぼくは慰めているのです、女の子っていうのはね、ぼくが好きにしていいモノの事なんだ」、――雨が少しずつ強くなって行くと男の悲しそうな口調が次第に鼻の詰まった嬉しそうな声音に変わって来た。「君は死んでより良く女の子になったね、これでぼくも守りがいがあるというものです」。

　無視していい夢だと夢の中で思った、が、走って通り過ぎてしまいたいのに気持ち悪くて、その側を通るだけで体が腐りそうに汚く、走り抜ける事さえ出来ない程であった。男の鼻はどんどん詰まって来て嬉しそうに歯茎も剝き出しになり、その癖死体に触っている手つきが次第におっかなびっくりになっているのだった。鼻を鳴らす音はふんふんと聞こえた。

「プラスティネーションしてヒーター入れるといいねふんふん、そいでも女の子には責任取らなくっていいからいいんだよねふんふん、でも別にぼくがいいたいのはその事ではなくてねふっふんふん」。――彼は本当に子守歌を一曲歌った。小さい白のソックスを手の指三本にはめ脳天気に振り回して。

「だって誰が女の子かは僕が決めるからふんふん、女の子の国に僕は攻め寄せるふんふんふん、そこは男も女もない民主主義の国ふんふん、女の子以外の女はどこにもいないふん、人間でいたければ女の子でいる事だよ、女の子の人権をぼくこうして守るしふんふんふん」

恐怖や嫌悪よりも、当惑が湧いた、悪人ですらなくただ鈍いのだ。夢の中とはいえ幼女を殺した事を自ら認めながら、それ故に明るく素直な前向きの様子をしてみせている。「ぼくが殺したんだ、ふんふんふん、でもぼくがしたのは決して殺人じゃないね、ぼくは違う意味でやったんだな」。

開きなおる事と善人である事は彼の中で等価だ。告白しさえすればなんでも許されるのだ。どんな幼稚な言い抜けでも言いさえすればそれは通用するものだ。しかしそうすればする程その無垢を演じている様の醜悪さは嵩だけが増え、同時に底浅く間抜けになる。なんとも言えず汚い。なんとも言えず生ぬるい。

ふいに男は幼女の死体をぽんと放り出して言った。

「おやでもぼく今何を言ったのか忘れちゃった、このごろ何でもよく忘れるんだよねえ」。

——自分で絞め殺した幼女を膝に抱いて男はなぐさめているらしいのだった。

行いの醜さとまるでうらはらな、その男の幼稚さに拍子抜けしつつ、それでもおぞましく、私はその道から先に行けず立ちすくんだ。すると誰かが両側から私の両腕に軽く触れた。私は一回転して二メートル飛び上がった。すると——。

目の前に双子の姉妹がいた。彼女達はさらに私の両手を取った。ふたりはまだ十二歳で、爽やかな夏のワンピースを着て凜々しく愛らしかった。ひとりは和久結子という名、但し和久という姓は元々の名前ではないと言った。結婚が決まったので姓が変わったのだという。もうひとりは水葉めのうと名乗りまだ姓は変わっていないといった。十二歳で婚約というのも奇妙な話だが、なんだか懐かしい様子の子達だった。ふたりとも子供の頃にミスマーガレットになった沼館かおりのようなパフスリーブの服で、小さく結った髷に生花のマーガレットを付け、顔の両側に細い縦ロールを流している。服の生地は夏の麻混らしくひとりはクリーム地に小花模様、ひとりは薄いピンクに濃いピンクの細縞。

「なんてよく似合うんだ」と私は感動した声を出していた。双子と言っても二卵性らしくひとりは色白でひとりは焦げ茶色に焼け、ただ体はそっくりで十二歳でも身長は百六十以上あり、トンガの人のように立派な体格だった。肉の厚い頰と太い腕と、がっしりしていても身軽な腰が、私には少女にふさわしいと思えたのだ。筋肉は隆々として足も大きく甲が盛り上がり、素足に麦わららしいサンダルを履いている。ふたりともライオンのように立派な鼻をして色の黒い方の少女は特に鼻に深い皺が寄り、肉に埋もれた目はきらきら光り無邪気だが知的で暖かそうだった。色白の方は少しむくみもあるようで体を動かすのが大儀そうだ。ずっと下を向いていて片頰だけで、えくぼを出して笑う。そうしていて時々鋭い好奇心を見せこちらを射抜くように視線を投げて来る。ふたりとも睫毛がとても長い。ふたりには気色悪い男など見えてないようだ。

いつしか、——彼女らは私の手を一心に引いて自分の故郷にはない、知らない鳥居のところに連れて行こうとしていた。ウラミズモ神道には鳥居はない、するとここは日本なのだろうか。しかし鏡の付いた明神鳥居に太い紡錘形のしめ縄を渡すのはともかくとして、そこにはなぜか生花もあしらわれていた。高い石段を上り、中に入ってみるとひどく気後れした。「拝んでもいいのかなあ」と少し後ろめたいような声を出したというのに、——。

結局私は快く柏手を打った。すると祓戸、猿、青麻、峯、焼畑、国造、狼、丹、日津久、鳥船、という文字がその音から零れ最後に幸霊、稚日、とあっていきなり胸が詰まった。そしてその神社の本当の縁起が、——。

私には判った。そこは海に由来するもっとも偉い男神に愛された天の娘を悼んで作られた場所だった。彼女は天上ではあまり身分も高くなく、いつも手仕事ばかりさせられ、結局は愛しあうようになってすぐに天に反逆した海神の子供を、その男と通じた報いとして強いて流産させられ、それ故にショック死したのだった。その後次々とその神社には女の神様が祀られるようになった。多くは抑圧された女が拝まずにはいられない女神達だった。それ故にそこには末社の顔をした摂社が建てられていた。一見関係ないように見える小さい社、だが実はそれは海に由来した一族の王子を悼むものだ。あらかじめ殺された娘、革命に負けて逃げた息子。最初から失われた、永遠に戻らない夫、いない婚約者――。

そしてその「事実」が判ると私の頭の中に、例の少年神と女首長とが、滅ぼされながらも最終的には恐れられ鎮魂のために、神として祀られた経過が現れて来た。

**ここでもう私の神話は完成したのだったその後のほんの一秒程に、錯綜し前後しつつ神話の感触も道筋も全部詰まっていた。**

国民の想像力を限定するつもりはない。が、オオナンジとスクナヒコナのその後をここに記す。――音楽の好きだった「少年神」は滅ぼされ「常世に戻る」前に、銅鐸をヤマトの山に埋めておいた。彼と彼の息子（と特定できた二人）はヤマトに連れていかれ俳優にされ、ヤマトの女達に苛められていた。娘達は出雲巫女に託されて散り散りとなった。というのも、女首長は建前上巫女であったからその実子さえも父系の男達からは黙殺されたのだ。「少年神」の子もまた、というより出雲の子供達は父親を特定しにくい子達だったのでその追求はどうしてもあいまいなものになった。誰が彼の本当の子なのかも実は判らないのだ。――少年は女首長には神を自称していたものの、もともと奴隷出身で海から渡って来た男だった。彼は息子達の運命を覚めた目で見ていた。――女首長との間には娘しか出来なかった。さらに彼自身は徹底した侮辱に耐え、やがて自力でヤマトを脱出し巫女でもある「女神」が軟禁されている三輪山に向かった。女首長は自然の中で育ち、男よりも速く山を上る事が出来た。彼女は形式的には国を「譲った」事になっていたので、黙殺されながらもその心身は一応無事であった。人質として彼女を託された三輪山の首長は、彼女を迎える事に配慮をした。自分の子を妊娠したヤマト系の女を、しいて流産させた程で、女はそれ故にショック死した。するとその隙に乗じ――。

スクナヒコナとオオナンジは山中で落ち合った。男は常世など信じていなかったが女はまだ常世はあると思っていた。女を殺して銅鐸と共に山中に埋め、少年は海に逃げそこで死んだ。それは別に一旦命を惜しんだのではなく、彼自身の死体をも消すためであった。たまたま、その後大きな不幸や災害がヤマトを襲った。というより古代など災害や病気、害虫だらけなのだ。その度、――。

あちこちに潜伏し、また市中で主を失った流れ者として差別されながら占い等の仕事を続けていた出雲巫女達は、今でも女首長を慕っていて、――巫女の或るものは彼らが常世に逃れて神になったといい、或るものは怨霊になって国を滅ぼすと言った。災いが起こるとそのことごとくが、少年と女首長の祟りだと言い触らした。また巫女が幸運を得たり透視や祈禱に成功したりする度、それらは全てふたりが神となった印だと言った。巫女達は何度も口寄せで少年を演じ、女首長を真似た舞を舞って、また少年が沈んだ海岸に人工的な光り物を飛ばし少年神の威力や女首長の正義を宣伝した。ついに政府が動揺を隠せなくなった時、巫女のひとりは少年神に教えられた通りの場所を掘れと偽のトランスで託宣し、気が狂っているふりを通そうとして、そのトランスのさ中に自分の子を殺すという演技までした。そこで、またまさしく出てきた銅鐸の故に巫女の言葉は真実である神意であるとされて、というよりなんとかして人心を静めようとインチキについノッた政府の手で、この反逆者ペアは神として祀られる事になった。しかし、それ故にこそ、――。

オオクニヌシとスクナヒコナは事実抹殺のために三神（つまりオオモノヌシと）一緒に祀られ、しかし同時にまた、呪い封じのために分けても祀られるのだ。

こうして核心の完成したウラミズモの神話は、国民の深層を規定すると同時に国民の娯楽、また感情高揚にも転用出来た。脚本女達は私の神話を使ってドラマを書き（それが国家思想にかなっているかどうかは官女達がチェックする）テレビにも舞台にも流通させるだろう。――例えば、分離派は生ける理想の人形としてのスクナヒコナとオオナンジとの恋に感情移入するし、一致派は出雲巫女の団結に涙するという具合だった。巫女の集団子育ての場面もあるし、また新勢力になるヤマト巫女との対立が出てくると日本の連ドラの団地、会社のように見事にもめるのだ。スクナヒコナとオオナンジの引き裂かれる場面では日本と男性に対する怒りがサクレツするように演出するし、出雲をヤマトに売った男の奸臣達とそれに対抗しオオナンジを守る巫女達や女長老の合議のところでは会社員や公務員としてのアイデンティティの確認が出来るという具合だった。もちろん総ての男は女が男装で演ずる。これはまたハウツー書にも応用され『出雲巫女に学ぶ会社経営』などという本も出かねないのだった。つまり、――。

それ故にそれ程にここの建国神話は待たれていたのだった。私の名は既に神殿入りしていた。神話作者としてだけでなく芸術文学と娯楽文芸双方の刺激となった存在としても一般には知られた。というのも、――。

日本の文化はどれも男性向きで、我が国の国民は文学に支えられる事も出来ぬ上に、大衆文芸を楽しむ事もいまひとつだったからだ。ウラミズモで受容出来る日本小説は前に述べたように研究的に取り扱われるごく一部のもので、大衆文芸にはかかせない歴史小説のその歴史の根本がそもそもウラミズモにはなかったのだ。

例えばウラミズモの民が物事をいちいちていねいに考えたくもないという程疲れている時、退屈な日常や分かりにくい人間関係のもやもやした現実に適当な感情の鋳型をつくり、安定した単純な世界観の中でストレス解消することも必要だった。そんな時には神話は判り易く筋だけを取り出されどぎつくされ、その時の流行を入れて繰り返し使われた。またその一方、芸術作品、文学の方もこの神話から逃れる事は出来なかった。まともに文学をやろうとするものは(ウラミズモではエンタテイメントは娯楽と表されるだけなのでいちいち純文学などと純を付けなくても話が通ずる)、日常を「スクナ、ナンジ」的世界観で切り取る事を批判して独自の世界観を提出する小説を書こうともするし、娯楽に堕した大衆的神話解釈とそれを大量生産するウラミズモのマスコミと戦おうともするし、同時に神話の枠組だけを使って独自な深層心理の動きをそこに込めたり私小説的にしたり、神について考えたり、神と現実の錯綜する様を描こうとしたり、また正しく格調高い神話物語のための言葉を選んだりもした。また彼らがウラミズモの「現実」を追求する場合は、この言論統制国家では始終弾圧されるが故にいきおい反権力となり、それ故中には日本回帰まで唱えるものたちも出るはずであった。また本当の常世とは何かという問いも考えなくてはならず、同時に常世はないという絶望を文章化する作業にも従事するのだった。

要するに、神話が出来てみると人々は元の反対派の人さえその存在を支持するようになってしまっていた。その上で、史実の大きな間違いはウラミズモの国家権力の手によって無理にこれを「正しく」するようになるであろう、と言うようになった。史実の細かい間違いは後々の研究女の手で巧妙に訂正されるであろう、とも言い始めた。結局、ただ旧神話を掘り起こすというこの作業だけが私の任務だったのだ。

人々は私の入院中、ずっとこの建国神話を待ち私が目覚めるのを、この国にふさわしく「生まれ直す（入国にふさわしい状態になる）」瞬間を待ち続けていたのだった。

若い作家女と学女に託せるように指針だけを示してもう役目は終わった。私の書換えの法則に則って、あらゆる細部をここのもう日本人の痕跡などない程に混血化した、しかも今後は、日本の言葉と共通の単語をつかいながらまったく違う言語を喋ってゆく、建国三世の人々が正しく手入れして達成してくれるだろう。

そう達成だ。だがそれは、――一歩海外に出れば蔑まれ笑われオリジナリティを収奪され来歴を否認され意味を踏みにじられる、この国の生きた、本当の女人達の魂の中に新国家が誕生した、という意味でしかない。つまりそんな国はたちまち侵略され神話もなくなってしまうかもしれないのだ。海外の誰もこんな神話を神話とは呼ばないだろう。それでも国民は「救われる」のだ。が、現実のこの国家は結局ケガレを押しつけられた国なのかもしれない。でもそのケガレを押し返して私達は我が国は我が祖国は——。

**うわーっ。**

この章の最後に一番嫌な辛い話を書いておこう。もうどうしていいか判らない程だ。が、冷静に書こうとしても私の文にはもう愛国心としか言いようのないものが芽生えてきている。ウラミズモの民よ、日本でもっとも可愛がられ愛され、守られ、「汚れない乙女」と言われている女よりもずっと「正しく」ずっと「清らか」でずっと「女らしい」我がスガル乙女達よ。神話は観光用のパンフレットと教科書に載り、国民に叩き込まれる。彼女らは外の蔑視、つまりは男性の判定する「汚れなき女性」、或いは男性から認められた「聖なる娼婦」だの、「たいしたおっかあ」だのというむかつく価値基準をはね返す事が出来る。が、——。

ウカは私に私の本当の年齢を告げた後にもしまだ少しでも私の寿命があればそれでも結婚しようとその日言ってくれた。面倒を見てあげるための結婚もあるからと、しかも「私の子供を産む」事を望んでいた。

　私の卵子は四十代だった帰化当時の私の体から取り出されて凍結され、ウラミズモ政府に管理されていた。まだ三十代前半のウカは日本語で言えば代理母という事になるが、私の卵子で外国の、無論日本以外の男性の精細胞を「借用（これはウラミズモ的表現である、種は借り物なのだ。父親は外見、遺伝病やＩＱ、体力、理系か文系か等の「効能」だけを問われ学者や芸術家以外は来歴などなんでもいいとされる、精細胞は番号だけで記録される）」した子供が欲しいと言うのだった。

　その後、今から書かねばならないショックな事を知って、私の気が弱ってきたせいもあって、保護牧から帰った直後にウカと私の夢は通底し始めた。私は無論もう保護牧などに行きたくないと思ったしその事はとてもウカを満足させたのだ。

　一致派となってウカと子供を育てる人生に一時私の心は傾いたのだ。余命は少なかったがウカはその事をとても喜んだ。

　その時期の一番仲むつまじく通底した水晶夢を記しておく。


　わたしが台所に立って光を浴びているとウカが卵を袋に入れて持ってくる。スーパーの袋のようなビニールの中にじかに卵が十個以上入っている。卵は赤と紫の斑があり、白い蛇の鱗のような五ミリ大の模様が一面に入っている。大きさは七センチ以上。鶏の卵とはとても思えない。その前に私のコピーをつくると言って妊娠したままの女が死んでしまっていたのに、そのことに私は何の感慨もない。その上、ウカはビニール袋を振り回しているのに卵は丈夫で、少しも割れない。やがて大理石の台所の上にウカはその袋をそっと横たえる。笑うウカ。私は卵を割って料理する稽古をするのだと思っている。ところが「この卵を練習に使わないで」とウカは頼もしい感じでいう。そこで私は一心に練習でなく最初から丁寧に卵を割ろうとする、一個目から――。

たった七センチの卵から剝いた卵より白い、光の固まりのような若い裸の女性が出てきたのだ。真っ黒な髪を髷に結い紅水晶のような乳暈《にゅううん》をして、合掌していて、そこからふいに台所の白い大理石のワークトップの上で白い腕を延ばす。「女の子だ！」とウカが高く笑った。目覚めた時、「卵は、女の子は」、とふたりで同時に叫んだ。夢が通底した事に気が付いて感激し、ウカは泣いた。同じ夢を同じ体験として見たのだった。夢の中でウカと私の五感が出会っていた。そこでウカは感激して夫のように言った。――私があなたの子供を生んであげる！　あなたの最後の卵細胞を使って私があなたの子供を生んであげる！

例えば妻が不妊の時夫が生む、「ボクの方が若い、君に体力で負担をかけたくないのさ・ね、あなたはお仕事に専念してくれれば」というわけである。

しかもその直後すぐ通底する水晶夢が来た。私は幼い女の子の姿になり、ウカは背の高い母親になって、ふたりで現実そのままの家の中を走り回ったのだ。

外国の銀行でアジア系の建築家の精細胞を「借りる」事にしようともウカは言っていた。自分達はもうなんでも持っている、ないのはただ造形感覚だけだと。無論借りるというのは返すという意味ではない。そんな話の時のウカはすっかり教育ママの顔になっていた。

# うわーっ。

とうとう最後の話に辿り着いてしまった。

「あなた方は運がいい、今日はあの金花高校の執行式と記念授業があります」、保護牧の職員が私に向かってだけ笑いかけた。ホテルで再度健康診断を受け入口まで医女に付き添って貰って再び保護牧に私は入ったのだ。一日ずれたがウカはむしろこの日に当ったのを喜んだのだった。多分私が二度と保護牧に行きたがらなくなるであろうという事も予想したはずだ。

執行式という言葉をどういう字で書くのかは新聞で知っていた。それは毎年卒業の季節になると出た。政府の動向消息が殆どウカの手でスミヌリされ、最近まで年月日も千切られていた新聞、でも執行式の記事だけは全部読む事が出来た。簡単な報告の内容なのにその見出しはまるで最高裁の判決のように大きいのだ。金花高校はエリートの学校で競争率は数百倍、功労者の子女が優先的に入学する。実際に見るまではただの卒業式だろうと私は思っていた。

ここのエリート校は七歳から十七歳までが一クラス三十人程の持ち上がり学級になっている。生徒は全員優秀で友情に厚く、クラスは社会に出ても、それこそ死ぬまで常に連絡を取り合い団結するという。カップルになるものは無論多く、クラス全員で会社を起こしたり、難病の生徒の手術代を全員で出すというのも珍しくない程で、但し、学閥や癒着の温床になってしまう事もしばしばである。その団結心の秘密が学科の中にあった。

といっても殆どの学科はごく普通で、数学や物理、化学はほとんど変わらない。ただ本を読んで来ていないと参加出来ないような発言中心の授業が、高学年になるにしたがって文系で増える。歴史は女性史、同性愛史が多く採用されている。理系はあまり変わらないが理系クラスに行っても全員女だ。

執行式は一日に一クラスしか出来ないとウカに聞いていた。ストレスに強いはずの保護牧職員でさえ倒れる事があると。ウカに伴われて入って行くと、そこは他の館とは随分様子が違っていた。照明の暗い天井までコンクリートのだだっ広い部屋で、大きいガラス窓の向こうに見た事のない機器が並んでいた。素材の判らない真っ白な箱がその部屋の真ん中に運び込まれていた。

私達が入った方の部屋は小さい階段教室のようになっていて黒板は教壇の脇の方にあった。中央は大きなスクリーンになっていて、古い視聴覚教室の体裁でヘッドホンや小型のモニターが各机にあった。階段教室と言っても百席程だが、生徒は一クラス三十人と聞いていた。しかし私達よりも先に盛装した母姉（父兄ではない）がずらりと並んで席は埋まっていた。全員が緊張した面持ちで、中には小声でささやきあっている婦婦もいたが声はすぐに止んだ。会話の内容は生徒の親でなければ判らないものだった。

「名前はチャイ君でしたか」、「ええ十年もよく持たせて」、「ウチの子は発表が苦手で」、「でもうちのはチャイ君が怖くて」、「それは仕方ありませんわ」、「結局理事長のお孫さんが取りまとめて決を」――。

ガラスの向こうの部屋では白衣の教師達が計器を睨みながら、或いは腕まくりをしたままで忙しく立ち働いていた。保護牧の職員も掛かりきりになっているようだが人の出入りがやたら多く、またどうやらそれが核心らしい箱の中身がまったく見えないので――。

そう、未だにどうなっているのかよく判らないのだが。ただ箱の下に大きな水槽のような箱があって巨大な製氷機のようなものがそこに。

**うわーっ。**

神話の語り直しを国から委託された日本からの亡命作家が、この記念授業に幸運にも立ち会ってくれる、そういう教師の挨拶で式は始まった。私が出席したので急にテレビカメラが入ったというふうにも。照明や音響の機材の束になった線が床を走っていた。保護牧遊びは悪意で報道するメディアもこの未来館だけは無条件に爽やかなニュースとして取り上げるのだった。局の人々は隣の部屋にも遠慮なく入って行って教師達から邪魔にされていた。

式の前に私は二人の卒業生と少しだけ喋った。ふたりとも分離派の子女でひとりは猫沼きぬ、もうひとりは二尾銀鈴という名前だった。どちらも建国功労者の子孫だという事で特に二尾は高校の創立者二尾金花の孫娘だった。いかにもウラミズモらしいとしかいいようのない娘達で、特に仲が良く、ただどちらも分離派なのでふたりは結婚しないと言っていた。正直このエリートだというふたりの少女を私はあまり気に入らなかった。二尾は得意満面に分厚い鼻をてかてかさせはしゃぎ続け、自分が創立者の孫である事を聞いてもいないのに謙遜し、その癖おとなとの応対はそつなく言語感覚が優れている。猫沼は細面の日本の男がいかにも好みそうな美少女だが自分の華奢なのが嫌で手足を大きくするためのマッサージに通っているなどといい、私の体調に非常に気を使ってくれ（全部的はずれだが）ひざ掛けを持ってこいとか空調を確かめろ等保護牧の職員に幾度も「お願い（命令）」を発しそれで少しも相手を怒らせないのだった。しぐさも上品で可愛く私をおばあさまと呼びながら背中を撫でる。が、その一方世間一般の事はあまり知らない様子で日本にもまったく興味はないらしい、二尾が得意そうにしている間は相槌をうってばかり、よく見るとぱっちりした目の白目まで光らせ口を半開きにしていて狂気じみていた。

ふたりとも私に会った事をとても喜んでいるのにこちらは孫程の少女を前にして心が強張っていった。制服はないし卒業式なので上から下までヨーロッパの（らしい）ブランド物で固めている。二人とも物に動じない様子で十代の顔にはにきびひとつなく、つまり彼女らが気に入らないというよりもあまりに恵まれた様子に、こちらが気後れしたのかもしれなかった。亡命してからは大切にされたものの、私は日本では切り捨てられる方の女だったからだ。

卒業、執行式の記念授業が始まってからの事は未だに現実とは思えないでいる。使い古した脳の見た幻と思いたい。だがこのような儀式がこの国を支えているのだという事実にも妙な納得がある。どっちにしろ私の寿命はまもなく尽きるのだろうと、それがこの嫌な記憶に耐えてここにいる支えになっている。死ぬ事で私は楽になる、のだろうか。

　黒板の前に次々と立った生徒達が発表をしていくのを、その時点ではその授業の「結末」も知らぬままにただメモを取った。もっとも大切な科目の最後の授業だそうで、クラスが三十人と少人数なのは討議を尽くせるよう配慮したため、持ち上がりになっているのはこの科目で取り扱われる「教材」の性質上止むを得ないため、等教師からこの科目の重要性について説明を受けた。が、それならば学校のシステム自体がこの授業を中心に作られているという事なのかと尋ねてみると、「ええっ、……そうでもないですよ」と教師は笑ったがそういう発想に仰天したようだった。わが国とこの国をいくら呼んでも、私はやはり元外国人に過ぎないのだ。もっといろいろな事を追求すべきだったようにも思うのだが何か気が抜けて言葉が出なかった。というのも――。

「本日のショックが少ないように」とウカから先に聞かされた（その割りには唐突だしいきなり言われたのだがウカもいちいち説明するのがきっと嫌だったのではないか、いやウカの心理に対して私はかなり無神経なところがあるので見当に過ぎないが）この国の輸出物についての説明で私はさらに混乱してしまっていたからだった。

　この国の特産物とはここで生まれた、ウラミズモ国籍の若い人民、つまり少女や幼女のデータなのだった。データは生年月日から身長、体重、食物の好みというような単純なものばかりではなく、紛れもない全身の「型」、肌の木目や顔色のコピー、体温、声、血液の分析結果、内臓のCT、胃壁の写真、等のデータ化される全てのものが対象になった。両親と本人の承諾でそのデータは取られ、無論本人の画像、映像もそこには含まれる。但し、――。

それらが輸出される場合多くは複数の人間の声や皮膚や体型が合成され本人とは判らないようにされる。輸出したデータは日本の会社で使われコンピューターグラフィックで処理されたりまたデータをモデルにしたアニメやアニメゲームを作るのに、時には性愛の対象にされる人間そっくりの人形を生産するのにも使われたりした。無論それらはいわゆるロリコングッズであり日本の少女をモデルにそうすればたちまち逮捕されるようなひどいしろものであった。購買層は当然日本や外国の幼女姦妄想者で、中には本当の幼女姦者もいた。幼児性愛者には男の子を好むタイプも多いとはいえ、そもそも小児を殺したり攻撃したりするタイプの変質者は子供の性別はどうでもいいはず（つまり男の幼児を殺すからと言って別にゲイではないのだ。ただ子供なら殺したいというだけで性別不問の殺すタイプの変態に過ぎない）なのだが、男性虐待機関である保護牧を擁しながら、この国では男子のデータを国外に出す事は無かったのだった。それは男は公的対外的に徹底して存在しないものとするという政策であった。

また男性に人権のない国なのにここでは幼男児の性虐待だけは重罪で。

**うわーっ。**

この時のウカは急に他人行儀になり、モードを変える事でこの事態をとおり過ぎようとするような説明をした。但し猫沼が取り寄せたいらぬ膝掛け毛布の下から私の手を引きずり出してしっかり握りながら、まるで子供を産むのを諦めろと言ってきかせている確信犯の男のような深い囁き声で。

「児童ポルノ規制法案をご存じですか、一般にはさ程関心が持たれていないようですが、あの法律はあなたの眠っている間に、その後より一層規制を強めて可決されました。児童の写真、実物のデータ等を一見使っていない児童性愛シーンまで全部規制の対象になったのです。その理由とは――妄想であれなんであれ、そこには必ずモデルにされた児童が存在するからというものでした。例えばロリコンのマンガをロリコン側がこれはただおとなの体に少女の心を持った理想の女性を描いたものだと反論するとします。すると反対派はそれは海外で注射をされて第二次性徴を無理に発育させられた子供がモデルだと主張。日本国内では無論、一切のロリコン物が発禁となり刑罰の対象になり、しかし日本人はどんどん海外で違法なものに手を出しました。現状でもそうです。児童ポルノの多くは海外産です。本来ならその持ち込みもそういうものを購入するためのツアーも国内国外共に全部取締りの対象になるはずでした。が、結局そうする事は出来なくなってしまったのです。そこにはウラミズモのきったない政策が関与していました。政府がこのデータの輸出のみを決定し、同時に国内に潜入したロリコンを全員保護牧で保護、つまり収監し飼い殺しにすると宣言したからです。

ウラミズモ国内では一切ロリコングッズというものはない。しかし国外に出たデータをどう使おうが知った事ではない。少女個人のプライバシーは守られるという、しかしこれは私も相当疑問です。どうしてかというとどんなにデータを複合しても結局誰かの個体をベースに作っているからです。そうしないとリアリティが出ないという事ではなく、そうしないと高額を払う有力なユーザーが満足しないのです。データが欲しいのではない。結局は個人を、ひとりの少女というひとりの人間を侮辱したい。ここと直接取引をする連中がそう望んだからです。

それ故ここからは殆ど手を加えていないデータが出る場合があります。仮名にし、血液成分のデータ等をいくら変えても、個人が現れてしまいます。それが貢献者、エリートです。ごく少数。――彼女達の成長の仕方は様々でというより今のところ統計上の特徴というのは現れていません。国が発表しないだけなのかもしれませんが、ともかく一般とエリートの間では例えばノイローゼになる率も殆ど同じです。ただエリートは肉体の画像やプライバシーをそのまま使われる一方、知的なデータだけ著しく歪められて流出します。というのも日本の男性の少女観が特殊だからです。

日本のロリコンの男の理想は、頭は幼稚園児体は中学生、というものが多いのでそれにあわせるそうです。例えば、ロリコンのつくるお話に合わせて彼女らのデータが使用される場合、多くは中学生にもなった少女が何の知恵もなく、ぬいぐるみを貰ったり詰まらない嘘を信じてついて行ってロリコン男にたちまちなつき、信頼し心をゆだねいやらしい事を喜んでされるというストーリーになります。それを今の日本では児童文学と呼んでいるのです。つまり主人公は初心とか純真というより幼稚園児的な中学生なのでそういうストーリーになってしまうのです。それ故中学生のデータに幼稚園児の服を着せて合成し、幼稚園児ロリコンゲームとして使用する場合もある程です。但しそれらは変態的ではあるものの本当の幼稚園児好き変態とは違う存在だそうです。というのもロリコンは日本では普通の男の歪んだ性空想や性差別を合理化するための表現ともなるからです。

　とはいえこの故に日本の男の多くはウラミズモの女を馬鹿だと思っています。しかし馬鹿にされながら相手の望むものを供給する事で女は男を排斥して生きる事が出来ます。もちろんこのようなコロニーが各地に出来て原発を使った一斉蜂起が出来るようであれば特産物等は必要ないのですが。が、そうするしかない程この国は不安定だという事です。

　そもそも原発という利益の前に目を瞑って女人国建設を許したタカ派の人々も、女人国をケガレと見て黙殺し笑っているハト派の人々も、結局は原発が稼働してしまうと女人国を邪魔と思うようになったのです。この国をすぐ滅ぼし元の日本の領土になし崩しに戻しても、動いている原発は止めようがなかろう、それが一番ありふれたことなかれ主義の、しかも黙殺とごり押しを使いわけ勝手に物事を進めていく日本の男特有の判断でした。実際動いてしまったものを元に戻す事を日本の男性は嫌います。ナリタでもその他の施設でも多くはそうです。一旦入社してしまえば新聞沙汰にでもならない限りは、二十年以上会社の下請けの女性達にセクハラをし続けていても失職する事さえない国なのですから。

　とはいえこの特産物、ウラミズモのデータは実際には役に立たないものだと言われています。

そもそもロリコングッズの製作者が妄想を主体に製作する場合どの子供をモデルにしたかを特定する事が困難です。またウラミズモの少女は男に抑圧されず無事に育っているので日本のロリコン男の好むような様子をしていません、日本人が女の特徴として捕らえるものの多くを私達は失っており、同時に私達は彼らが見た事のない「女らしさ」をも発揮しているのですから。そういうわけで実はウラミズモ・データは他の幼女少女をモデルにしたのではないかと疑われた時の反証、言い訳として提出されるのです。また海外で殺人等の犯罪から生産されたグッズであっても全てウラミズモ由来のものとロリコン商売の人は言い訳しており、日本政府はそれを認めています。つまりデータの効用は実用ではなくてむしろ形式なのです。

付け加えますと、この事によってロリコン男達がウラミズモ女性に尊敬感謝の意を捧げる事もあり得ません。むしろ自分達のケガレを押しつける対象としてウラミズモのブスと呼び、なんでも言う事をききロリコンの悪事に加担している、恥を知らないというように受けとめます。男の作るロリコン小説からロリコンゲームにまで必ず出てくるのが強姦消費用としてのウラミズモの幼女です。ブスはフィクションの中でいろどりとして対比として使われ蔑まれる側、肉体の側、ケガれた女として描写されます。美人というかそれに対比されるか弱い少女は結局ロリコン物の中でも大切にされ、消費される場合も凶悪犯の犠牲にされるという型になる事が多いそうです。もちろんその可愛がり方や大切にする方法はげっという程おぞましく一方的で気持ち悪いものです。しかもその大切な美少女のモデルとしてロリコンゲームやグッズに名前を記載されるのもまたウラミズモ少女なのです。そもそも日本では子供の性的自由だの虐待アートだのと脱法行為がすごくて本物の少女にひどい事をした犯罪の写真も、全部ウラミズモのデータを合成したものと称して販売されます。一方妄想するだけのものや少女にプラトニックなものの中にはおとなしいロリコンもいるという事です。しかし金払ったんだし犯罪にならない範囲だし、とほとんどのロリコンは思うそうです」。

授業のうち、最初の数名の発表内容を私は覚えていない。メモは取ろうと構えていたはずなのだがいつしか頭の中ではウカの言葉が回り始めて、しばらくは腕も抜けたようになってしまったのだ。私は発表者の様子だけをぼんやりと見ていた。全員が緊張しているはずと思うのだが、……生徒からは軽い笑い声が上がっていた。

その科目の名前は「男性研究」というものであった。

ウラミズモのエリート学校では三十人の生徒にひとり（男性はウラミズモでもひとり、ふたり、と数える、一匹、二匹ではない、ただ統計では頭数という言葉も最近良く見る）、飼育男性が割り当てられる。彼女らはその男性を保護牧に委託し飼育して貰う。飼育には飼育館ではなく未来館の一室を使い、モニターでは二十四時間彼の生態を見る事が出来る。そして入学から卒業までの十年間週に一回、必ずクラスで保護牧に通い、彼を観察する。観察されるのはウカの言葉で言うと「日本から払い下げられた死に値する男性」という事であった。死刑判決が出ているのもいるが中には日本で処罰出来なかったものもいるのだという。幼女殺人や連続して幼女を犯したものばかりだという事だ。特産物として少女、幼女期の自分達のデータを提出して、輸出に貢献した女性達が、その成長期に幼女を殺した人間を観察するのである。ウラミズモのデータがあるからロリコンがはびこるのだと言って「ロリコンをこの国に捨てに来るものがいます」とも聞いたがどういう事かは判らない。しかし日本政府が死刑や収監を面倒に思ってウラミズモに押しつける、それをウラミズモ側が多額の引き取り・処分費用を貰って引き取っている、というのはありそうな事だ。——学生はロリコンの観察日記を毎週付け、何年かに一回は保護牧職員を通してインタビューを行う。このような時にも生徒とロリコンの接触は徹底して避けるようにする。「男性」はただ一方的に観察されるだけだ。というのも国内ではあらゆるロリコン行為は禁止だからでロリコンが少女と口を利く事も禁止だし、ロリコンが少女から質問をされて得意になる事もウラミズモの規則ではロリコン行為だからだ。

彼女達はこの事で自分達が「男性」からどのように見られているかを学び、また生命と業、罪と欲望に対する理解を深めるのだそうだ。別に男性一般がその犯罪者で代表される事はないと思う人はいるかもしれない。だがしかしそういう発想自体他国の考え方で、そんな考えはわが国では何の意味もなかった。卒業の時、この執行式記念授業で全生徒が調べ尽くした彼についてその結果を発表する。という事は卒業単位にこれは加わらないのだが、彼女らが今後どの大学に行っても、或いは就職しても、それどころか選挙に出る時の経歴にもこの評価は書かれ、死後の葬儀の格式にまで関与して来る。

最初、生徒達により、教材男性の犯歴、日本での裁判の判決の抜粋と纏めがまず発表された。が、その後の発表の多くは単なる観察日記で、教師を間に立てて行う「男性」へのインタビューを纏めたものいくつか、理系に進むという生徒は血液や精子のデータを取っていた。なお、日記は抜粋を各々が朗読する。観察中はその本質を知るため本人にあらゆるロリコングッズが与えられる。その様子をも冷静な生徒は記述していた。

日本で作ったグッズをウラミズモの架空の事務所発送という事にして「合法性」を強調した輸出するという事もここでは行われていたので、グッズは教材用の、唯一この国で許可されたロリコン行為、特例として男性に供されていた。ちなみにグッズは存在してもロリコンが街路にも住居にも存在していないこの国ではロリコン行為というのは（ここ以外では）本質的に発生しない。またウラミズモに来てまでグッズを漁る観光男性はいない。日本にいさえすればウラミズモ由来で合法化されたものがいくらでも手に入るからだ。

ここで教材にされる男性の多くは自分の運命を知らされていないせいか、来た当初は死刑や逮捕を免れて生徒に面倒を見て貰えるとだけ聞かされ、グッズを与えられてしめたと思うらしい。が、なにしろ十年の間保護牧の一室で観察され続けるのだから多くは発狂する。無事に維持し続け観察対象として価値ある状態に保つのは生徒の工夫よりは保護牧職員の腕次第で、親は当然合法非合法にこの飼育を助け付け届けもする。結局は親が有力者だとか教育ママカップル・一致派の多いクラスで教材が長生きするというのが本当のところだった。

分離派が級長をしているこのクラスで教材が長生き出来たのはおそらくは銀鈴が創立者の孫だからである。

発表は高レベルのものになると単なる観察ではなく芸術作品になったり、また教材の体のデータを使ったオブジェになったり、男性論のような哲学的考察を含むものになる。

——チャイ君は幼女の裸が好きですが大変攻撃性が強く、等身大フィギュアを与える度に破損するので大変困りました。攻撃タイプの変質者なので子供の性別は気にしなかったですが。

——と言いながら卒業製作だという百号の絵二枚を発表しているのは自分のデータで教材の攻撃性を確かめ、それを参考にしながら「男性」をテーマやモデルにして油画を描き上げたという少女だった。「珍しすぎる日本の変な遠足」という題で、それは一対の絵になっていた。

一方の絵は殺された少女が紺のスカートに白のソックスをはいて死体になってもまだぶりぶりしており、油絵の背景には経文やマンダラのように「やあん」とか「ちこくしちゃう」、「えんえんえん」などという文字全てに濁点の付いた日本語が図案化されていた。もう一方は教材の男性の裸体を描いていて動物を描くように性器も正確に描いてあり、男は背びれや鱗のようにフリルを生やし、五体をばらばらにされたまま草原のライオンのようにのびのびと眠っているのだった。背景になっているのは動物園、いきいきした色使いでキリンやシマウマや極楽鳥が描かれ、その全部に濁点とフリルのある大便が生えていた。フリルはレースとか小花柄でアーリーアメリカン風のものであった。青空には血液の水玉が飛び散っていた。

その後論文の発表になった。保護牧の経費節減と価格引下げというテーマが出ると聞き手は数字の正確さばかりを気にしていて、経費の節減が男性の虐待と使用年齢の引下げに繋がるという事をなんとも思っていない様子だった。またどうしたらロリコン犯罪を無くせるかという発表もあったが、そもそも街路に男性のいないウラミズモでお嬢様学校の生徒の出す案なので日本ではとても役に立たなかった（無論どの論文にも教材から学んだ結果や教材の写真、データが引用されている）。その後男性観察研究の感想文が続くとそれらは全部詩の形式で書かれていた。重々しい言葉を使っているというだけでウラミズモの国是そのままの独創性のないものが長ければ長いほど、なぜか親達は感動し泣いた。

息抜きに彼女らの小学校の時の作文も読まれた。四年生の時の優秀なものだという。

「私はわが国の児童文学が大好きです。日本で児童文学とは子供が犯されるものです。でもわが国の児童文学は子供が読むものです。日本では小説は売るためのアンケートをしてから作ります。でも我が国の小説はひとりひとりが作ります。日本の小説はすぐ少女が犯されます。例えば三歳と五歳と七歳の少女が犯されるところを読みたい読者を十万人ずつ集め、それから犯されるデータの人気投票をします。そこで一位になったデータが三歳、五歳、七歳、とくり返し襲われるストーリーを作家が作ります。繰り返すのは日本の男性がばかでキャラクターをいちいち覚えてられないためと一冊の本を何通りもの好みの読者に売って一冊で沢山売り上げを挙げるためです。そこで少女をひとりだけにして強引なストーリーを作るのです。これを日本では七五三と呼び、そういう通過儀礼を書いたのを児童文学と呼ぶのよとお母さんはふたりとも言っていました。だけど私はそういうのはよく判りません。祖国万歳」。

そんな風にして二時間程が経った。猫沼と二尾は共同研究で一番最後の発表という事になっていた。十分の休憩があって親達はトイレに行ったり子供の側に行って親同士で牽制しあったり、発表の評価には親も参加するのでお互いの腹を探りあったり、短い時間の間に様々の事をした。また子供の方はと言うと、——例えば猫沼がふいにきゃーっと叫んで腹を抱えうずくまる。それは悲鳴ではなくて笑い声だった（そのきゃーっ、は何度も繰り返された）。一方他の生徒達は日本の少女程うるさくなかった。落ちついているし自信に溢れていて、けらけら笑う代わりにのぶとく叫ぶのだ。一クラスの服装はスカートが二尾だけ（膝丈）、キュロット率が高いのは流行なのか。ショートパンツで足に水玉のペイントだけしているのは絵の作者だった。彼女達は明るくいきなり踊り出したり歌ったりするのも多い。殆どが私の眠っている間に流行っていたらしい知らない洋楽であるが、しかしこのクラスだけに限った事なのだろうか、中に謡曲を普通にやっている子がいるらしいので私は驚いた。

## うわーっ！

卒業直前、教室での最後の授業で生徒だけの投票が行われるそうだ。そこで、観察したモデルの処遇を決めるのだ。教材の「男性」は十年使うが、後は不要になる。次のクラスに回すという事は絶対にしない。もう疲弊（すれていると表現する）していて正確な観察が出来ないからだ。彼をどうするかという決をそこで取る。処分するか飼い殺しか、——。

生かしておく場合はライブ館で使うケースもあるが多くは日本政府が秘密で引き渡したものなので人前に出せない。ロリコンでも捨てられたケースの、少女に直接手をくだしていないおとなしいタイプは許される事もある。と言ったところで、終身刑に近い状態に過ぎない。しかも恩赦も減刑も絶対にない。彼らは飼育館の片隅でもう少女達から観察される事もなく静かに生を終える。哀れまれてロリコングッズを与えられる場合もある。が、運動不足で成人病等になり短命に終わる。グッズを与えるかどうか待遇を良くするか、生きながら何か刑を与える事にするか、それはその時の投票でやはり決める。処分というのは当然殺すのだが、どちらにしろ討論を重ねた末の事だ。多数決で出したそのクラスの決定には誰も逆らえない。個人個人が一生引きずっていくしかない。

もう役に立たない家畜を最後まで飼うというのは実はウラミズモ特有の文化でもある。但し、男性にまでそれが及ぶ事は少ない。つまり教材の場合はロリコン本人のために飼うのではなく、少女達の決定を尊重して、税金で彼らを養っておくのである。但し、これも保護牧職員のさじ加減ひとつである。

殺すという結論と飼い殺しという結論は半々位で、保護牧で生きるよりは死ぬ方がましという結論が出る事もある。モニターで毎週見ていても情は移らない。当然だろう。リーダーシップを発揮する少女がクラスにいれば、意見は纏まり易い。この討議の段階では教師も校長も一切発言出来ないという事になってはいる。とはいえ教育のための議論なのだ。

処刑の方法はやはり議論で決める。

最後の発表になった。二尾が喋って、——。

うわーっ。

なぜか彼女は自信満々だ。どうという事のない事を立派そうに言う。

——全員一致の議決、本年の記念授業最終プログラムは、幼女フィギュアパーツ使用の圧殺です。「男性」も今までさんざんお世話になったフィギュアにお返しされて満足でしょう。実際に手掛けた少女と感触が違うと随分文句は言っていたようですが、まあ私達はせいいっぱい彼の面倒を見ましたのでね、なおこの処刑法もクラス全員の決議、議長は私二尾銀鈴、副議長と書記が猫沼きぬです。また私達の発表は。

ふたりの合作で処刑ライブとその時の教室の様子、皆様の反応をモニター、ビデオに写し、かねてより用意しましたCGとその場で合成するというVJ的映像表現です。またこの際にそれに合わせた室町歌謡の曲に二人で詞を付けたものが流れます。歌謡の題名はウラミズモの悩み、謡曲の謡と違って三連符的でジャズを思わせるようなこのいわゆる狂言ノリの、ニートな狂言小唄をお楽しみ下さい。

VJのみどころは処刑に現れた神獣の子が踊りながら圧殺に加担するところです。この神獣のリアリティを出すのにふたりで鰐園に通ったりヒヨドリの子をビデオで撮ってみたり。

猫沼がいきなり二尾を突き飛ばしてきゃーっ、と叫んだ。

——彼が一体何をしたというのかわいそうに。

全員が爆笑したのでそれがギャグと判った。モニターを——。

## モニターを見せられた。見たくなかった。

どういうからくりか壁の内側からフィギュアが生えてくる。壁の各面から着衣の少女のパーツが足や顔やお尻、胸板がどんどん生えて男のいる空間を狭くして行く。男の苦しむさまを画面で見せられるのかと私は思っていた。が、彼はもう死に装束で拘束されている。薬で痛みを取るという決定が追加報告される。

赤ちゃんの真っ白な産着でくるまれて捩じれた餅のように上からロープで縛られ、籐だけで出来た車輪を外した巨大な乳母車の上に、彼は載せられているのだった。産着の布は冬のもののように厚く何重にもなっていて、その布越しに、時々ブザーのような音が規則的に漏れて、くるまれた真っ白な布の端がぴくと震える。おむつをさせてないと言っていたはずの、乳母車の籠編みの目を通してぽたぽたと液体が床に落ちる。その音が遠い雨のように妙に胸にしみ入る。顔を上げると大きなプロジェクターに、なる程コンピューターで前以て拵えておいたという神獣が踊っていた。だがそれはまだ処刑室の中には入っていかない。二尾の声が入る。

――可哀相なチャイ君、もう大好きな幼児の裸を見る事も触る事も出来ません、ここを出てもう一度本物の子供を手にかける事を楽しみにしていたのに、その上自分はふとした出来心で殺しただけで本当は子供が大好きだと、自由になったら子供好きを生かして幼稚園の先生になりたいと希望を述べていました。今度こそ子供とやり直す子供と良い関係を作る、そして自分は児童文学をやる。そういう機会を与える事こそ本当の更生教育だと演説していました。

目に入るのは幼女のフィギュアというより幼女人形である。腕も足もぷよぷよして、その癖筋肉が子供らしく張っている。処刑に直接関係あるとも見えずどこを見ても人を殺す機能は持っていない、なお、そうした沢山の腕や足は立体だった。しかし一方、そこに続いて一見立体に見える顔はというと、CG映像なのだ。強張った表情、妙に整った目鼻で壁一面に笑っている。クラスの卒業生ひとりひとりの幼顔だった。

まず、――。

人形の手と足の脇や腿の付け根が蛇の胴のようにぐねぐねと延びた。やはり壁から生えているのだった。肌色の蛇の胴の先にある子供の手足は大きく揺れて、動くと宇宙人の触手のように見えた。が、やがてぷるんと振動してフィギュアの体の肉付きが下に落ちた。あっという間にそれは金属の胴だけになった。カシーン、と教室が揺れるように、音を立てて手錠がかかるように、白い布包みの上に金属の輪が落ちた。何度も何度も、手錠の束のようなものに乳母車ごと、彼はくるまれていた。見ると天井から足、床から手が生えていたのが金属化し繋がって輪になっている。最初のクラッシュで乳母車が潰れた。その時には金属の輪は半円になっていた。二尾の声が入った。

――鉄柱が足の指に落ちてきたところをご想像ください。最初は突いたような傷が付くのです。そして。

本当だろうか。そもそもこの処刑は――。

**うわーっ。**

鉄の輪が四分の一になり八分の一になり十分後にそれがまた円に戻るというアナウンスがあって、そこから、「モニターと発表を見比べてくれるのもひとつの鑑賞方法だ」と二尾が言った意味が判って来た。柱が降りるように、天井から今度は全身の幼女が降りて来たからだ。水玉模様のショーパンやフリルのキャミソールは絵を発表した生徒の、日本をイメージしたデザインだという。ひとつの柱に二体の幼女がいて結局十本以上の幼女の柱が出現した。やがてその体からCGでぽんぽんと卵がはじき出されたのだ。そしてキャミソールの腋から、薄い前髪の下からは、小さい白い爬虫類の手や黒い羽が出て——。

白く細く可愛いとかげのようなワニの子供に黒いもしゃもしゃした小さい羽がある。幼女人形の体の隙間から神獣はするりと抜け出て大口を開け、牙を剥きながらそれでも可愛く飛び、時には幼女ロボットの口から出た、象牙のような小さい卵からも生まれて来る。それを見ているうちに手錠の束は元の大きな円形に戻り、それでも白い布はあまり汚れていないと思ったらごろんと体の向きが変わった時に。

**うわーっ。**

神獣の動作はヒヨドリや鰐の子の動きを元にしたせいか柔らかく愛らしい、体も体液に濡れているようにぷるぷるして全身が丸っこい。生徒達がその場その場アドリブで動きを合成するため、血と体液のある方向に元気良くぴょんぴょんと寄っていきそれを啜る動作をするものでいた。

手を振る生徒、感動して泣く母親達、職員の無表情がその中に交錯し、室町歌謡の代表的な旋律が流れると生徒達の実際に打っている手拍子が入り、その生徒達の背中にCGで合成した翼や牙が生えた。狂言小唄を主体にすると案内していたが途中で変則的に謡曲の繰り返しも入り、昔のDJのように台詞が追う。ふいに口紅を塗っている二尾の顔がアップになり。

——ロリコンにも、親はいるのです。

と言うと真白な花畑がうつる。猫沼がきゃー、と叫んでいる。またギャグだったのだ。

処刑の終わり、神獣は金色に輝き、みるみる成長する。やがて神獣は教室に乱入した。

生徒の乾杯、一致派の子がふたりの母親とする抱擁。

男の処刑執行終了と同時にプロジェクターに広がっていたのは、男が入っている箱の外壁とCGで描いたウラミズモの硬く蒼い空で、太陽の周囲をワニは飛び回っていた。

教室の映像を即興で入れる等の用をするために二尾と猫沼は上映中何度もスタジオと呼ばれている隣の部屋に行った。が、その前に処刑の仕掛けを作動させる時は全員で直接スイッチを入れたのだ。保護牧職員さえ一切関知していない。少女達が自分で決定して自分で執行する。

次に手元を見た時、モニターは切れていた。

モニターが次に映したのはガラス越しでも見られる終了後の景色だった。箱の中に大量の細かい氷のようなものが投入されていた。柱の幼女のフリルのある服がぱっと割れると、中はフードカッターのような刃だった。日本刀でも人をひとり一回だけ切ると脂でべとべとになってしまうと聞いた事がある。幼女のカッターは体が回転し何体かはそのまま途中で止まり、何体かは氷に突入し、また布の固まりを切断粉砕するために右往左往した。「ああ失敗だったなあ」と半分笑っている二尾の声が入るが、その時には完全に刃が曇っていた。だが布の切れ端や、紫色や小豆色のものも入ってびっしりと汚れたカッターが全部止まると、固まりはそれなりにばらばらになっていた。氷はさらに降って天井まで達した。

教室の中にいくつもの重い金属のワゴンに載せられて巨大な花火で縁取られた、カトレアを載せた皿が入って来た。花火に囲まれ花を飾られてはいるもののフルーツもチョコレートも何も入ってない、ただ人数分に線を引いてあるだけのそれは、グレナデンシロップのかかったかき氷だった。心臓手術の時、心臓を冷やすために砕いた氷を使う。そこに血が染みると氷イチゴのようにも見えるという。赤い氷菓子をこの式典は使う。

目の前で男の死体が片づけられている時すぐに運ばれて来た氷の皿。でもそこに男の血が入っていたりする心配はない。生徒達は随分汗をかいていた。すぐに小皿が用意されたが全員がそれを無視し、氷の線引きも無視して直接さじを突っ込んでもくもくと食べた。匙を氷につきたてる音と若い健康な頬の動き。真っ黒に日焼けした馬のような足の子、行儀悪く足を組んで鼻の下にうっすらと髭をはやしている子、鼻を光らせながら放心している、でもエステに行きつけているので完璧な足の二尾。なぜか今度はしくしく泣いている見事な髪の猫沼、彼女達が今した事を考えてはみるのだが質実剛健という言葉しか湧いて来ない。

私もふるまわれたその氷を淡々と食べた。昔落語で見た、遊廓でふられた男が朝方に女の引出しの中から甘納豆を見附け喜んで食べるというしぐさや喋りが好きでいつもまねして繰り返した事を思い出していた。別に今の自分がそうだというのではないのにただ、頭がぼーっとして少し悲しく、ついつい思い出すのだ。だが仕種も声も出てくるのに落語家の名前がどうしても出てこない。未だに思い出せない。その後も、――。

「ウラミズモの、なやむものは」という出だしで始まる、室町歌謡の歌詞も忘れてしまった。

発表の一位は親達が感動した論文詩ではなく、最後のＶＪだった。手法は古臭すぎ趣向は単純だが教材の処分を決定するまでにふたりが発揮したリーダーシップが評価されたのだそうだ。

# 4 世の尽々《ことごと》に・生命終わるまで

私の現実の視界はもう濁ったままだ。眺めるだけでは、ここが病院なのかどうかもよく判らない。ただ最後の言葉を皆が待っている。入院中に強制されたのと同じ処置を、自分で希望して施して貰った。これで死ぬまで私は喋る・筆記して貰う・残す事が出来る。生命が縮んでもそうしてくれと頼んだのは私である。学女と詩女と日本研究女までが私の周囲に集まっていた。最後のしぐさや声までも観察し今後の神話解釈の参考にしようとしているのだった。彼女らは当然、観察にも解釈にも慣れているはずだ。

今の私に幻覚はない。視界は濁っても彼女らの顔だけは区別出来る。

猫沼と二尾は来たがったが私が拒否した。女だけの国の、女が人間である世界の、私を大切にしてくれた人々に囲まれ、それでも今の私が心にかけているのは頭で見る世界。頭で見なががらそれは現実よりもずっとクリアーである。一方自分の見た例の処刑は、ただの幻覚であるような気がしている。今の私は正体不明な、気持ちいい鈍い感覚に支配されている。あらゆる事にいくらでも鈍くなれる。どうしてだろう。そもそもこの世界のあの恐ろしいしかし否定し切れない強固なシステムが、再び美しく見えて来た事もおかしいのだ。今、私の現実の肉体は濁りの中にいる。安心な濁り、ただ濁りの向こうに一点光が射すのを待って。そうだ、多分もう死ぬ。これだけの強度の「飲み物」にもう私が耐えきれないかもしれないとウカも判っている。

　今の私はどんな危険な事を言っても許されるはずだ。ここにいる学女達は支配階級で理性がある。現状を冷静に分析しながら、覚悟して国家の抑圧や統制に加担して行くだろう。他の方法がないという悪魔のような自覚。もしも私が国家を批判しても、それはただ後々編集されて都合良く整えられるだけの事だ。それは彼女達の私に対する個人的な愛や尊敬とは別のものだ。私の言語感覚そのものを好きだと言った詩女達も国家のために、私の放つ最後の言葉の一番美しい部分をきっと平気で、削除するだろう。

　世界を成立させている水晶は濁り果て曇り、蜜の入った林檎の腐りかけのように匂っている。皮がこちらの視界にめり込んで来そうな、この世界はそれでもひんやりとして、水晶で出来ている。濁った水晶の中に濁った人々が住み、少年のオブジェと女同士で繋がった女達がいる。でもそんな事さえもうどうでもいいのだ。この濁りの中から射す一点の光を待つためにだけ私は生まれて来た。それで十分だ。でも、そう声に出した私を見てウカが泣いている。ウカは可哀相だ。ああ、出て行ってしまった。でもこれで安心して本音が語れる。ごめんなさい、ありがとう、彼女に全てを譲る。まだ若い、どうか新しいパートナーを、そのパートナーとの子供を、そうなれなかった事を許してください。感謝と尊敬の言葉しかないのに。

保護牧に行った直後、恐怖感から私はウカに一層頼った。頼る事で神話の執筆はよく進行した。が、蜜月的な日々はさして続かなかった。書き上げた事で、私は自分の性愛の対象を見極めたのだ。夢の中で神話の構想を一瞬に感じる事と、言語化してそれを我が言葉で確かめる事の間には大きなへだたりがあった。そして結局、私の作った神話には私が入っていた。国民が神話と捕らえるものの中に私は私を残しただけなのだ。自作の神話を読み私自身を知った。自分で作ったものから学んだのだ。身を投げうって書くというのはそういう事だ。結局、——。自

私は人形の製作を依頼するしかなかった。それを恩人でありパートナー候補と世間が思っている、ウカを通して頼むしかなかったのだ。彼女はきちんとその仕事をこなした。そして人形が出来た後一旦私から去った。でも、人形は半月と持たなかった。私が破壊した。その事も自分の神話を読んで私は予想していた。が、それは一旦は必要だったのだ。

分離派の仮夫にはもともと魂がない。が、私が今までそれと気付かずに愛していたものには魂があった。というより実在した。それは現実にいたという意味ではなかったのだが、その存在を自覚しない限り私は自分のセクシュアリティに気付く事は出来なかった。

私の心の中にいて絶えず誰かに乗っ取られそうな不安定な状態のもうひとりの私、アニムスというのならもう少しましな状態でいる事が出来ただろう。それは男だった。というよりたま

たま男の形を取らざるを得ないものだった。現実への失望感や日本の体制への憎悪を食らって育った「理想の男」だった。脳がもうひとつある人のように、私はだがその男といるしかなかった。そしてそれが肉体に由来する病気ではない証拠に、この「どこにもいない男・全ての男を拒否するという意味の男」は、私の日本に対する違和感と同時進行で成長した物であった。そういう意味で言えば私のセクシュアリティは日本という国から私に与えられた贈り物なのだ。二尾が狂言小唄を歌っていた事から私はこの世界全体を幻想かもと思う事があった。でも幻想の中に紡いだ私の神話だけは真実だ。私が死んでも書いたものが消えても。私は見ている。私の男を、男の私を。そして。

## 頭の中に常世が現れているのを。

影のように溶けた真っ白の島に——。

光の反射と島に射す影だけでそれと判る場所に、見えない木々は茂り、実り、溢れ、果実は採るものもないままに熟して流れて行く。落ちる見えない極彩色の花はそのまま透明な鳥になって飛び立つ。酒を醸すような自然の気が島から湧く、白い砂の上に小さい顔が見える。横たわっている。立ち上がろうとする。歩いている。笑っている。何を見ているのか。何も見ていない。何を考えているのか、何も待っていない、癖に・愛している・彼を。私は死ぬ直前にそこに辿り着く。しかし私の死と共に島は消える。私の幻の常世に彼はいるのだ。大きさは判らない。ただ小さい、ただ遠い、ただいない、美しい男よ、いない事でしか存在出来ない。その彼を出現させる場所として私は私だけの幻の常世を作った。

　男は舞い始める。真っ赤な髪と光を織った衣装と、この世のものではない小さい顔で。腰を落としてよろけ、扇を翳して両手を重ね。見えない風に見えない真っ赤な前髪が吹き上げられる。愛らしい妖精は酒を讃え、波間を渡る。波の上の妖精の軽さと非情の動きのまま、扇で差し招きまた宙を舞って——。

　その島に・幻の常世に。

　能の猩々の姿をして。私の猩々はそこにいる。私が死ぬまで。

　エジプトの神話にある。誰にも襲われぬよう、侵犯されぬよう、かかわらぬように、感情を凍結し、自分の魂を取られぬよう高い高いアカシアの木の頂上の花にその魂を置いて、木を刻んで作った魂のない、人形の乙女と暮らす男の話が。

　私は私の魂をワケミタマを常世に置いたのだ。常世から来て常世に帰ったスクナヒコナとして、また私が日本の現世で出会った猩々として。魂を遠くに置くという方法・イメージを思い付いた時、私の背後にはワニとエジプトという連想があった。その連想がなければアカシアの木の神話を思い出す事もなかったのだ。南方の話を掘り起こしてワニの神話の世界を書いた私に、もっと南方から本物のエジプトのワニが持ってきて私にくれた発想だったのだ。しかし、——。

　この期に及んで何故こんな事を語るかは自分でも判らない。神話がエジプトに繋がった事が嬉しいのか。でもそれはただ自分の中でそうだったというだけの事だ。国民の神話とは別の話だ。いや、国民の神話を国民が各々好きなように使う、その神話のユーザーのひとりとして、自分が作った神話を自分で使ってみたかったのだ。そうする事で私は自分の狂気に普遍性を与えたいのだった。自分の狂気を社会とつなげたかった。神話を道具にして。つまりはこの「異常」な恋を認めて欲しいのか。違う。

書き物の中に「彼」を止めたい。どこにもいない男を。つまりはそれが私の正気だから。「いない、理想の男」、スクナヒコナの、ヒルコの、猩々のモデルは日本にはもういないと思う。きっと死んでいる。が、かつて彼は「いた」のだ。呪われた日本に。

それ故、「どこにもいない理想の男」そっくりの人形を作ってくれるように求めた時、いないその男の顔形を私ははっきりと言う事が出来た。その上写真さえも見せる事が出来た。写真の男はいないはずの彼とそっくりの顔をしそっくりの事をしゃべった。何年もの間私に会いたがり、自分の力でついに会いに来た。会えなかった母親に会ったように彼は喜んだ。会えなかった子にあったように、また自分の失ったペニスを取り戻した男のように私は喜んだ。が、それ自体が大きな錯覚とすれ違いだった。私は失望した。結局現実のその男は私とは縁もゆかりもない、ねじれの位置にしかない、本当にただもう、この世にいる男に過ぎなかった。

私がどのように男を苦手とし、男性社会に違和感を感じブスとして嫌われブスとしてセクハラを受け「女流」として黙殺されて来たかは私の著書を読めば全て判る。話を元に戻す。猩々と私がどのようにして知り合ったかを書く。

少女の頃から男への、というより日本への違和感はずっと持っていた。自分は本当は男だ、いつか男になると十代になっても思い続けていた。それは龍子のものと似ていたと思う。つまりは自分が女だという事が受け入れられない程、男社会がずっと嫌だった。大学も殆ど男子校状態のところに入った。がその事で女でいたくない私は却って女として見られるようになった。殆どの男は私に害をしなかった。が、特定の人間から性的嫌がらせをされてもそれを振り払うシステムはなかった。戦う前に私は引きこもった。自分の部屋で読書ばかりするようになりSFや純文学の他に気がむいたらコミックも読んでいた。その中に猩々を舞う異端的な能楽師を主人公にしたものがあった。いわゆる美少年もので美少年というものにそれまでは何の拘りもなかったのだが、男が嫌いになると男が嫌うようなものに関心が向いたのだ。

コミックは単調なものに過ぎなかったし恋愛もあざとくて引っ掛かりたいとも思わなかった。但し、その少年の顔だけは単調なその絵の中で独特の癖を持って描かれ私の目を引いた。その顔、キャラクターが見たくてつい買ってしまい、物語にはうんざりしながら、しかし平凡なネームの中におそろしく独創的な表現があるのに目を奪われた。二次コンという言葉は当時はなかった。そして結局キャラ萌えというものでもなかったのだ。というのは、その能楽師にはモデルがあったから。ただ能楽師ではなくて狂言師だった。コミックの主人公の顔はその、現実の彼の愛されるために生まれて来たような個性的な目鼻立ちをそのままに持っていた、私が驚いたネームは全て、彼の発言から無断引用したものであった。つまりは私は会った事もなく、その生存さえ知らぬまま実在の彼の顔と言葉に引かれたのだ。ただしそれが私の手に届くまでにディフォルメ、コミック化を経由してしまっていた。コミックの事はそのままなら忘れてしまっただろう。が、ある時、私は一枚の写真を見た。子供番組なのか、マンガのヒーローの衣装を着せられた「彼」。どうしてマンガの主人公と「似ている」のか判らなかった。その写真を暫く取っておいた。愛されるために生まれてきたような目鼻立ちをして、しかし馬鹿げた宇宙探検の恰好をさせられているためか彼は少しも笑わず、なんとも言えず陰気臭く意地悪そうな、我の強そうな不快そうな様子でいた。そのしかめっ面には私と共通のものがあった。「猿のようだね」とつい写真に言った。半年程の間その写真を、当時気にいっていたオコジョの子の写真と一緒に額に入れておいた。が、嫌そうにして映っているのだからきっとこの写真を撮られた事を本人も嫌なのだろう、と思って捨てた。その写真の彼こそが、――まさにそのコミックのモデルだった。しかし写真に添えられた肩書には能とも狂言師ともまったく書いてなかった。私はまだ気が付かなかった。

私が彼の事を一切知らなかった事は後々の「災い」の原因となった。彼はその狂言の異端性故に、才能は認められながら能の間狂言に呼ばれる事もなく、そればかりか勝手に地方で謡曲の猩々を舞った事をも問題にされて早くに能楽界を追われていた。新しい演出や衣装のデザインも手掛けて注目され、それ故にまた毀誉《きよ》褒貶《ほうへん》が多かったという。そんな彼の狂言師としての将来は若くして絶たれた。何も知らなかった。謡曲については少しは知っていたのに。というより猩々を見る程度には知っていたので、コミックに出てきた彼の言動や言葉にも親しみを覚えたのだ。アマチュア、弟子に過ぎない地方の能楽ファンの家で私は育っていた。周囲に習っている者が多いというだけ、女は舞位しか出来ないだろう、と言われて稽古はすぐに止めた。家には赤地を金糸で埋めた菊の模様の能衣装があった。能好きの一部素人にありがちな事だが、舞台を見ても能と一緒に上演される狂言を見ず、狂言の間は下を向いて、謡曲のテキストだけ眺め狂言を馬鹿にするタイプがいる。私の家の人々はそういうタイプで、狂言について学ばずに済ませていたのだった。

猩々は酒の好きな妖精の話で、その猩々が中国の孝子の前に海から現れて酒を酌み交わし舞を舞ったという話にちなんだものだ。中年を過ぎた大柄な男でも小さい少年の面を付けて、真っ赤な衣装と真っ赤な髪を垂らして名手が舞えば、海を漂うように体重もないように舞う事が出来る。心の浮き立つ華やかな調子の曲で、舞も扇をかざして時に腕を露にし可愛らしい。

それまでは自分はヘテロでいつかは結婚するのだと（男が嫌いだというのに）思っていた。が、「彼が出来て」からずっとひとりでいるのだと思うようになった。閉じこもってしまうと独り言が多くなる。その独り言がいつしか特定の相手に向けられていた。相手は少年だった。猩々は少年のように見える大酒飲みの男だ。当時だからそんなに年齢差はない。十代後半位の男の子に私は文学理論を「教え」音楽の感想を「話し合い」杯を並べて「一緒に酒を飲んだ」。恋愛モードではなく最初から家族のようだった。彼は昔の時代や神話についても良く知っていた。私の話す事をよく「理解し時々、思いもかけない反撃をして来た」。彼がどこから来るのか、多分自分の意識下から来るのだと判っていた。美しいというより可愛らしかった。この世のものではなく少しも怖くなく、時には自分の子供のような気がするのだった。あらゆる流派の能の、名手の猩々のビデオを見つづけるようになって、私は「ふたりで」暮らしていた。他の男は絶対にいらなかった。何年もの間。その後忙しさに紛れてその事は完全に忘れていた。四十になった時、——私は若い女の作家から支持される異端作家になっていた。「女流」として差別され、醜悪な噂を立てられたり、活字で容貌を笑いものにされる事は変わりなく続いていたが、それなりに自信を持って生活し始めていた。

そんな時、彼は会いにきた。私は有名にならなければ良かったのだ。

最初、私はなぜ私が彼を知っているかさえ知らなかった。彼をイメージして小説を書いていた。彼はそれをずっと前に読んでいた。私を自分のファンだったのだと思ったのだろう（私がもし男ならば彼のような人間だったのだろうか）。恐ろしい事にマンガなどより、小説の中で「作った」彼の方がずっと現実の彼にそっくりだった。知らずに、私は彼を「復元」してしまったのだ。言葉も好みも考えも癖もまさに私の猩々と同じでありながら、彼は男社会の中の男として育った、知らない男だった。私と無縁な「日本」の独特な感触。どうしようもないねじれの関係の中で私のワケミタマ、脳内の恋人は彼の中に吸収され入りこみ、腐ってしまった——。

日本が嫌だったずっと昔から。忙しくて彼を忘れた長い歳月。でもそれでも私は実は彼と暮らしていたようなものだった。溶けて、小さくなった彼は私といた。私の「いない彼」。そのいないはずのものがいる事になって、私は心の中にあった穏やかなものを、唯一のものを失ってしまった。

それなのに、そんな彼の人形を私は求めたのだ。ウカを裏切ってまで。

人形が出来た後、何の救いもない笑いが私の日常を覆い尽くした。ウカは出ていった。人形とは半月も暮らしただろうか、注文の通り花で覆われた濃緑の柩に入れられてそれは届いた。一面に菊を縫い取った袴、真っ赤な髪、顔の大きさが能面と同じで、体には何の介護機能もついていなかった。柩の中に横たわった彼の面の下は、私の知っている男と同じ顔のはずで、しかし私はその面を取らなかった。「彼」に対峙した時、既に後悔の念に襲われていたのだ。

彼の人形を持つ事でなんとか私は救われたかったのだ。奪われたワケミタマを人形の中に閉じ込めて自分の一部を他者のようにして、実際にいない彼を現実の物質に仮託してでも、それでも彼が蘇るならばと微かな望みがあった。しかし程なく、水晶夢を見た。

その日から夢の中で彼は面を付けたまま、廊下を階段をウカのいなくなった部屋の中空を苦しんで飛び回った。本来あるべきでないものを物質、偶像で存在させようとしても私の魂はそれを拒否した。何度も夢の中で彼は粉々になった。すると私の分魂は、男の私は、窓からどこかへ逃れようとして激しく泣くのだった。私を嫌ってというのではない。「お前といたいからこそ遠くに行きたいのだ」と。

私は自分の「恋愛」について分析するしかなかった。何度かはそれでも他者に宿ってみようとした事もあった自分の分魂。折口信夫だったか（ああシノブだから女だ）古代人の恋は自分の魂の一部が相手のところに飛んで行ってしまう事だと言ったそうだ。

人形といいながら私は自分の感情すべてを追求し尽くした。そして結論した。

自分の想いには行き場がない。ただ魔のようにやって来て災いのように祓われる。私にもし恋愛というものが起こるとしたならば、それはただある一点に集中した狂気に過ぎず、その一点の外は全て悲しみと怒りの対象でしかない、つまり恋とは私の全身が憎悪で出来ているという事の証拠に過ぎないのだ。

そんな恋愛には始まりも終わりもない。集中した狂気の中には何もないからだ。そればかりか発生して消えるまでの間、それは何も生まない。そこにあるのはただ、外への悲しみと怒り、それらの中から抽出したらしい激しい分離体験と恐怖だけだ。私から愛される存在には何の意味もない。恋はただ人の感情や生きる気力を吸い込むマイナスの場所に過ぎないのだ。その場所がたまたま現実になって目の前に現れたとしたら私は戸惑い、何をする事も出来なくなる。破滅するだけだ。しかしそれが鎮魂され、空想の少年として平和に私の脳内に留っている時には「私の男」になり、大切な「男の私」になる。

……性欲とは何なのか尿意か貧血の痺れなのか。それとも突然体に兆して脳に抜けていく世界への殺意を指すのだろうか。

外への違和感がいきなり生んだ空洞、無風地帯、その中にありもしない他者が、「彼」がきざす。日本の男の使う日本の言葉と日本の文学の中で、私は隠蔽され黙殺され抑圧された。なぜ女の作家だけが芸能者で男は学者風を吹かせているのだろう。私にはちゃんと自分が、文学という一部に芸能を含んだ仕事をしていたという自覚があったのに。

恥知らずのロリコン連中とロリコンご用達の贋女達があの死んだ国の上で醜悪に睦み合って

いる。それなのに彼らが醜悪であればある程、私の分身は美しい。私のワケミタマは。そう、だが思えばそれが人形の中で再生したようなものではないか。でも――。

彼が苦しむ様を見れば見る程私の水晶夢は激しさを増した。毎日続けて見た、見ながらすぐに解釈が出来る夢、濁った水晶の夢であった。屏風のような形でそれはいつも出現した。屏風型の濁った水晶の岩、もろもろと不純物が蟠《わだかま》り、一部は針水晶のようで、一部は暗い色や薄煙を帯びていて、でも、その一部は透けている。そんな濁った水晶という鉱物の中を、琥珀色のやはり一部が透けた鉱物のワニが泳いでいた。目が覚めそうになるといつも、目の前で水晶がどんどん大きくなり始める。ワニはぼけた影になり、水が銀色に光り始め、シルバーバルブやネオンテトラ、等の熱帯魚が現れるのだ。すると「神」の声がする。女の神だ。

「それは幻で外の景色がただ写っているだけよ」と――夢の中に滅多に出てこない日本の若い女性が、友達に言うような言い方である。そこで、――なるほどこの魚は全部幻だとその声を聴くうちに私は素直に思うのである。ところがそうなると今度はふいに追い詰めるように、声はまったく逆の事を注意するのだった。

「あなたはクンビーラを飼ってどうするのですか、この前も他に魚を新しく飼ったでしょう、それをみんな流してしまうのですか、クンビーラと一緒には飼えないのに」。

ああ、でも一緒に飼う――幻の魚の中に本物の魚が混じっているというのに、私は大切な本物の魚の事を、全部外に写った幻の魚と同じように考えてしまう。ワニは魚を喰う。濁った水晶の中でさらにはその濁りそのものを喰らいつくす。そして漸くワニは、インドのワニの神クンビーラは眠る。澄んだ水晶の中で。ワニは魚を——。

ワニは意識と無意識を繋ぐものだ。水から陸に上がり語り尽くすものだ。そしてワニを飼った私は一生覚醒したままになるのだろう。感情は持たない。魚は隠された恋愛の記憶だ。その全部をぺらぺらした生臭い幻影と呼び、私の中の、あらゆる錯覚をあらゆる柔らかい感情をワニは食う、つまり言葉にして覚醒させ、私の中には、何も残らない。

しかしこれ以上の幸福はない。水晶夢さえもこのワニは食い尽くす。そう思った後の、何度目かの夢の時、——。

目の前で一斉にワニの卵が孵った。本当のワニの子をまだ見た事がない。ただ花畑の花が咲くように孵ったのだ。そして海に、——。

私は歩いていた。

海に行く道にクンビーラの、ワニの社があった。きっと誰かに聞いて知っていたのだと思った。目の前でその石の鳥居がぱらんと崩れて四本の柱になり、鳥居に取りついていた、四神に似た石の動物が一斉に動きだしていた。竜首を持つ亀と人面の虎と梟のような鳳凰とワニのような竜。鳥居の落ちた地面が水に変わっていた。水面に石は全部平気で浮いていた。私の腰は燃えているのだった。その腰をそのまま社の上に載せた。そうやって神社に火を放とうとすると、彼らは鷹揚に首を上下させて噴水よりも多く水を吐いた。

振り返ると海が燃えていた、最初に女性だと気付いたウカの体の温度をふと思い出した。でも最初に感じた自分のワケミタマがこの人形という死んだ嫌なものの中に閉じ込められ、人の視線に汚れ、我が国のというより総ての現実に取り囲まれる事を、私はおかしいと納得するしかなかった。

エジプトの神話をも私は思い出していた。兄の妻に誹謗されて家を出た男は自分の魂を取られないように、遠い場所の高い高いアカシアの木のその頂上に咲いた花の中に自分の魂を隠した。花は枯れなかった。そうして彼は魂のない乙女と暮らしたのだ。自分でこしらえた魂のない乙女。それ故男の魂は無事にあった。誰にも侵食されず、永遠に。

いつしか――。

海が燃えていた。黒煙を上げる事なく、つまり通常の事故ではなく、夢の中で燃えるのに相応しいあり得ない燃焼を、青い水を吸い上げて塩のような噴出する煙を巻き上げて、岬を越え撓《たわ》む水平線の端々まで焼ける金属の線のように透けて静かに、でもいつかは尽きる事を暗示しながら。

海が燃えるその海の中に私は既に萎れた花に覆われてしまった木の柩を片腕で持ち上げてそんな力などあるはずがないのに――。

海に向かって投げた。私は中空に浮きながら花に覆われたその花が萎れたなりに炎の中で捩じれ、枯れ草に近い香気を放つ時笑い、燃える海の炎は柩を抱え上げ、絡みつくように燃え、でも柩の中からは水死体であるかのような、しかし美しい人形の上半身が私に片手を延ばし、泣くように持ち上がる、すると――。

劇薬を流したように。

海は光になり爆発し私の体は熱く、熱いだけのようなのに大声で苦しみ叫び私はのたうっていた。でも魂が飛んでいく。人形から楽になった私の大切な彼が幻の常世に戻っていくのだ。安易なかりそめの肉体から自由になって、私は今後偶像をつくらないと思った。彼はいない。だから彼はいる。彼を幻の、空想の、私だけの常世に置こうそのために私は、――。

その時実際に私の家の台所の床が燃えていたそうだ。

しかし魂が飛び去って行く自分の、幻の常世を私は見ていた。彼は南に帰ったのだ。スクナヒコナ、いないはずの彼をない国に返した。すると私には遠い沖が見えた。

知らない砂浜に私の「彼」はいた。レンズの中にいるようで体長も年齢も判らないのだった。水文鎮の中に閉じ込められた、白と銀の砂の中の小さい人形のよう、多分彼はプラスチックで出来ていると思った。その時は黒と白の陰影しか持っていなかったから。その水晶の玉の中に青色が流してある。それが海辺だ。その青色の裏は銀色で水の泡を無数に背負っている。玉の中にあるのにその場所の気泡は私の唇に当たる。玉の中にしか世界はない。小さい小さい美しい美しい男がいる。

この国の制度を濁った水晶の中に流し込んで、手の中に握ったまま不幸を抱いて死にたい。幻の小さい海と浜が頭の中で揺れている間、そこでは私の男が、男になる事の出来ない私を永遠に待っている。違う、私は死ねばあの水晶の中に還る。常世とかニライカナイとか呼ばれるような海辺に、自分の分魂を、彼をそこへ置く。死ねば私は男になる。彼と共にいる。でもその時私はもう私ではない。熱い海の泡は死に近い足指に寄せ熱風は魂が旅立とうとしている枯れた頬を打つ。掌に載るような小さい愛しい男よ。私はお前を込めた水晶の眼球を、濁った小さい世界を握り締めて死のう。男というよりはもうひとりの自分でもあるような魂に戻り、私は一瞬だけその男と「暮らして」真っ暗の闇に帰る。つまり、切れる事によって私は永遠と繋がる、死ぬ瞬間のために私は長く長く生きようと思う。長く生きる意味をまたその死の瞬間に見いだす。生命とは何だろう。良き物だ私にとって、私が殺生し憎んできたとしても、私の生は私の中では祝福されるものだ。――私はそう夢見た。それが水晶夢の夢だ。だが現実は。

ウカの叫ぶ声で私は目覚めて。

海が燃えていた。私は人形に火を付けて火傷したのだった。しかし幻想の中では燃える海に柩を流し、常世に彼の魂を送ったはずなのだが。

最初私は常世にいる彼を偲んで、この人形と一緒に暮らそうと思っていた。だがいくら側に置いても死体は、というか脱け殻では駄目だった。いない、とは常世にいる、という事だと思い込もうとした。その思いの中で人形の中の魂は旅だって幻の常世に達したのだ。人形を燃やした時それを感じた。生きている間は会えないが死ねばきっと会えると。頭の中に、そう言う彼が見えた。しかし、見えたけれどいなかった。――結局は死体としての彼を、彼の死体人形を私は注文したのだ。彼を弔って常世に再生させるための道具として人形を使ったのだ。この国の仮夫とは異なる使い方だったが。

危険な事をした私にまたウカは付き添ってくれるようになった。というより私を引き受けた。それから曖昧な生活がまた始まった。彼のいる常世を、ウカといる時は見ないようにした。現実を見ていた。ウカと通底する水晶夢はもうなかった。私はウカに気を使いどこにいる時も殆ど公のパートナーと同じように遇した。生きている間に次々と財産をウカの名義にした。が、常世の事は今まで言わなかった。

火傷した私の体はもう回復しなかった。腰から下が焼けたから長く寝ついたのだ。私は体の、そそうをするようになっていた。ウカは嫌がらなかった。

それはでも多分死ぬまで続くのだ。情けない。ああ——私の足元からまた水が寄せて。

**違う。これは水晶夢だ。この期に及んで。**

知らない水だった。それは尿のようで、確かに私の体から出ているのだった。が、皮膚に冷たいその水はしかし、膝を越えて中で泳ぐようになると温かくなって来た。というより私の体温が海を温めていた。尿は海になって、全ての海の生き物や今まで見た事のない生き物までその中に泳いでいた。島があり、水があり重力があって、その海からいくつも星が登った。尿なのか、羊水なのか。それならば破水、というものなのか、これは。

……水が海になっていく、布の広がるように、中空でさっと広がってそれはそのまま空に繋がっていた。私の卵子が私の死と共に廃棄される事をふと思い出した。が、子供を産まない女こそ国を産むのだとその時むしろ自分で納得した。ウラミズモノミズ、ウラミズモノミズ、ウラミズモノミズ、とその水には書いてある。「あっあんなところに海に字が出ている。山にも字が出ている、どうしてツクったんだ」と私が景色を指さすと誰かが止めた。「止めなさい、発狂していると思われます」、とまた誰かが言った。

海に立っていた。海の上に炎が燃えていた。何度も見た燃える海。泡のようなワニがいた。燃えながら泡立ってのたうつ産褥の血を流したワニ。でもその血は活字でただ「血」、「血」、「血」と書いてあるだけだ。泡や切れた縄や薄い色の汚れや土塊までも、そのワニの体の中にはのたうっていて、凄まじい数の蛆が湧いている。巨大な蛆だ。ワニは南から海を越えてきた。何人もの人を水に引きずり込み食って、人間の子を生みながら日本まで来た。燃える泡の長い固まりが海にぐじゃぐじゃに浮いていて、それがワニの本体、頭、胴、尾、という事になっていた。その周辺にワニの皮が立体的に光って浮かび、牙はネックレスのように空に整列していた。足はばらばらに空に向かって昇った。ワニの瞳は珠のようで、片方が溶けていた。色は緑で太陽を通して、猫の目のように光っていた。コーラの瓶が浮いて……。

泡の中から傷だらけの女の手が二本出る。両手に捧げた白い紙切れに人の名が書いてある。借り物競走のように私は受け取る「これを持ってこの子を探しに行く、届けに行く、この子とこの女がかつてここにいた事を国民に知らしめる」と気の抜けたようにふにゃふにゃした声で実感なく言っている。紙を見ると朱と黒で、知っている神の名前がある、でもその名は読めない。

私はいつしか知らない小柄な翁になって海岸で子供に苛められていた。「私の母は偉大な首長でした、大柄で霊感のある美しい人でした、ほら空に」、真っ黒な翼を生やして人間の形ではなく、でもステンドグラスで拵えたマンダラのように、大きな女と小さな男の像が聖母子のように浮かび上っていた。しかしそれを裏返すとそこには強く激しい、人を死に至らしめるようなただ一種類の感情が書き込んであった。

**それは産んですぐ別れたわが息子に再会する母親の感情であり、同時に、女が、この世にあるはずもない、自分自身の男性器と出会ってしまったような感情であった。**

滅ぼされた男とないはずの男性器が再会したという意味の柄、そして、奪われたわが子をついに取り戻した母親とその息子の柄――気がつくとまた海岸で私は苛められていた。絵本の中のような通俗に彩色した浦島太郎がいて、「ほら命だけは助けてやったんだからオレをお前のオフクロのところに連れていけみな殺しにしてやる」と脅かすのだった。

私の一族がみんな泣いていた。海から来た人々、海に由来する人々、また山に元々からいた人々、山で狩猟をし農耕をし、海で猟をして海岸で塩を焼いて、でもみんな負けた。負けたのは男で女ではなかった。負けた男は自分が助かりたくて卑怯になっていた。「あなたのためにあなた様に負けた様をこのように演じます、あなたのために戦いの最前線に立って真先に死にます」、そういいながら一族の男達が顔に赤土を塗って胸をかきむしり、見苦しく敵に敗北していく様を演じ笑われているのだった。「この後俳優と芸能は下位におかれます、女達の国もなくなります」、と負けた男達は約束した。

海と山に散らばった全ての私の子孫がさーっと死んで行く。でも私はもう夢からさめかけてただ首をねじ曲げて空を見ながら、必死で念ずる、救いはある、とその時——。

ああ昔神話の水晶夢の中で私を先導してくれた双子の少女の色の白い方の子が戻って来ていた。膝にサポーターを巻いていて立ち難そうだった。淡々と告げた。

「十五歳になったの、もうおばさんよ、陸は体に負担が掛かるから一旦海に戻るわ、姉は陸で彼と暮らすんだって、婚家の五行思想にカブれて完全に陸の者よ、姪も父親似で生意気なの。でも私は海でまだ待っている上の姉の所に行って、そこを手伝うわ」。その言葉で、——。借物競争のようにして見た手の中の紙片の文字が、——。読めた。女の子だ。神話の契機になる保護牧の水晶夢、あの時、姉もいたはずだ。

色の白い彼女はサポーターだけ取り、私の足につかまりながらすっと海に入った。すると自分で産んだ海の中心に私は立っていた。私は、足にハイヒールを履いていてとても痛かった。少女が水に入ると、私の体は逆さになって宙に浮いていた。少女は、——。

泳いでいる、というより飛んでいるようだ。あっという間に遠い沖に彼女の背はあった。慣れた恐るべき速さで、立派な体が水を分けて進んでいく。太い胴は能の急調のようにくねり、その威厳が四方を輝かせる。でもどこに行くのか――。
するど耳許で別の声が。
――私はワニじゃないわ、間違えないで、おかあさん。

**ああ常世のなりたちが判る。**
**聞け国民よ学女たちよ死に臨んで、今私は神話の語り残しを語る。**

トヨタマヒメを名乗ってヤマサチヒコの子を産んだミーナ・イーザは、産んだ子をヤマサチに取り上げられ、スクナヒコナを海から陸に送り出した後、取り上げられた子に出来た孫の多くが、死んだと知って、苦しんでいた。記紀が外国に行ったと記した孫達は無論トヨタマ・ミーナ・イーザのところに送り届けられるわけではなく、(そんな事をしたら海の勢力に天孫の正統性を分け与える事になってしまうからだ。つまり海の血を隠蔽するために外国＝常世とかヨミにやった子がトヨタマと結託しては困るのである)また日に背いて死んだ孫も戻るわけではなかった。それればかりか、最後の希望としてオオナンジに託したスクナヒコナも姿をくらました。死んだというよりは抹殺されたのだ。天孫側は「スクナヒコナが常世に行った」、とあいまいな言い方をして真実を隠蔽していた。しかも既にオオナンジも死んでいた。男の首長は家来になって生き延びたりしていたが、世の中はもう父系的になり、もともとミーナ・イーザだけの気を受けて出来た女の神の子孫で、その上混血し人間化していた女の首長達は殺されてしまえばそれっきりだった。他にも婚姻の形で強姦、軟禁されたり、また巫女のままで追放され漂流し発狂し妖怪的になったり、その存在を抹殺されたのである。

出雲神話で言えば国譲りにあたるその諸々の間の部分を知って、最後の希望であるスクナヒコナさえも日本を出たという失望にトヨタマは耐えかね、孤独に苛まれた。そこで、――。

**トヨタマヒメ・ミーナ・イーザは消えたスクナヒコナの人形を作る事にした。ヤマサチの子孫の魂は天孫のための天国タカマガハラに行ったが、スクナヒコナは天孫とはいえオオナンジとペアになってしまった反逆者なので反逆者の行く死後の世界、常世に消えたのだ。とはいうものの、常世に行くことは死ぬというよりも「帰った」と称せられるような曖昧な遠い別世界に行く事であった。またスクナヒコナは天から来た混じり気のない神なので死と生を往来する事は可能だった。ただ現世の肉体は失われていた。**

**ヒルコの魂は食われて消滅していたが、スクナヒコナの魂なら呼び戻せるかもしれないとミーナ・イーザは思った。ミーナ・イーザは彼の魂を人**

形の中に閉じ込め、共に暮らそうとしたのだった。しかし人形をヨリシロにしてそこに宿ったスクナヒコナの魂は既に天孫に支配された陸も、天孫に侵犯されつつある海の世界をも嫌い、またもともと海にはいられない質なので、人形の中にいる事を嫌がって苦しみぬいた。そこでミーナ・イーザは人形を焼き、スクナヒコナの魂をまた常世に戻した。その時、人形を焼く火はイザナギの作った現世のインチキな火ではいけなかった。それ故ミーナ・イーザは体を損なう事を知っていながらスクナヒコナのために自分ひとりで火の神を産んだ。すると傷付き、弱った体の排泄物から犠牲や献身やケガレを引き受ける優しさや強い感受性の神、それらに対する差別や黙殺に怒り泣く神が、つまりウラミズモのカナヤマヒメとハニヤマヒメ、ワクムスビ、ミズハノメ等が生まれたのだ。そこでミーナ・イーザは女神だけを手元に残した。ハニヤマヒコ等、男の神は生まれると同時に陸に送った。その後弱ったミーナ・イーザは本当に死んだ。女神はついにヨミの国に行ってそこに閉じこもったのだ。ヨミはその時には見えなくされた存在の行く、死後の世界として機能していた。

**一方生まれた女神達は無事に育ったが、ワクムスビは陸に上がりたがり、そこで焼き畑農業の神になりウカノミタマを産み、それ以前のインチキな日本の農業神のした不始末まで引き受けて日本の役に立った。一方一緒に生まれたミズハノメは最初海にいたいと言った。しかし水を司る役目は負ったものの自分がどういう神かまだ判らなかった。ミズハノメは悩んだ。ワクムスビは作物を育てているのに自分はまだ何も育てていない、でも天孫の支配する陸に上がると足の関節が痛くなってしまう等と。**

　ウラミズモ神話の重要な骨格だけを、年老いた体に鞭打って国民にせかされながら私は作った。龍子が最初に記紀の抑圧、ねじ曲げとして糾弾したミズハノメの例を、私はこの日まで学女達にまかせ、単なる信仰の糸口としてしか捉えていなかったのだ。学女達はただ抑圧の例としてミズハノメ、ワクムスビを神話の解説的な別巻に入れた。しかしそれはまさに私の誤解だったのだ。イザナミが火の神を生まずイザナギから逃げた以上、ウラミズモの神話に彼女達は出てこない。だが、思えば教祖がここに至るまでの発端、契機となった神なのである。

私はまだ死ねない、なぜならここでミズハノメの役割を語るべきだからだ。ミズハノメとワクムスビは殆ど双子のようだ。だがワクムスビは権力に従った娘、そしてミズハノメは反権力に留まった娘、そしてミズハノメの役割りは、ワクムスビと対抗するような反権力の土地の農業神なのだ。ミズハノメは何かしたいと思っていた、しかし天孫の土地では出来なかった。そしてミズハノメにふさわしい反権力の農地とは、実はスクナヒコナが逃れた常世なのだ。

神話の中のスクナヒコナ・オオナンジペアを各地の弾圧された母系、巫女的女首長とその片腕、或いは息子、恋人、等と私は規定した。そういう彼らと彼女らを象徴してこのペアは神話の中で抽象化された。しかし常世を無神経にも私はただ「常世」とするしただけで、常世に関しては死の国、亡命先、単なる空想、というふうにしか捉えなかったのだ。ウラミズモの神話にもとの記紀のままの常世という言葉をただ出しただけですませていた。自分でも「幻の、空想の常世」などと思い込んでいた。しかしそれでは権力側の言い方を引用しただけで本当に神話を書き換える事にはならなかった。これを完全にするためには常世を日本的な存在からウラミズモ的な存在にするべきだったのだ。つまり、天孫から見て反権力に当たる神話を作る以上、常世がウラミズモ神話的に何を指しているのか、どのような神の系譜の土地と規定されるかを、明示しておかなくてはならなかった。

今、私は常世を規定しよう。つまり常世をウラミズモ神話の中に産み落とそう。

学女達よその常世とは淡島である。淡島にミズハノメを祀れ、そして彼女達をもっともその資質を発揮出来る場所に導け——。

その場所とは日本人も含め私達の祖先の郷里の郷里、源流である。時を逆行してそこに戻り、古代に生まれよ。その時と場所は、私達の祖先を連れてきた船が知っている。真夜中に南から渡ってきた船が。

淡島はミーナ・イーザによく似た女神だった。ミーナ・イーザはスクナヒコナを育てるためワニに似た姿の島になった。しかし淡島はただ居場所を与えられず海を漂っており、陸にも海にも拒否されて漂ううち島になっていた。ミーナ・イーザのような故郷の記憶もなく、自分の力の使い方も知らず、ただ指令を待ちながら何も産み出せなかった。

**しかし農業神ミズハノメの導きでこれからは立派な国土になる。反逆者が逃れるための聖域の島になる。**
**学女達よこれでウラミズモの神話は本物になった。イズモはヨミの入口、ヒタチはトコヨの末だ。**

うっかりと常世を「ない国」としたままで私は死ぬところだった。だが違う。つまり私は常世を今見ているのだ。日本神話では常世はない国、一方ウラミズモではまさにそこは見えなくされた者たちの実在する国だ。そうとも、私が行《おこな》ったあの神話的行為が常世を呼んだのだ。棺を焼いた時、人形はまさにスクナヒコナだった。そして神話の底で眠っていたものは全部、目覚めてしまった。

それ故、——私は死の直前に常世を神話の中に正しく産み直して行くしかなかったのだ。すると私の行き場所は今後は私的空想から国の神話に、国家宗教の極楽になるのだろうか。ああ、それならば、信仰しさえすれば私は救われるのだ。常世とは異界の永遠の楽土だ。スクナヒコナの逃げ場所、常世は本当にあった。というのも——。

日本神話でのヒルコはこれもイザナミが産んだアメノイワクスフネに載せられて流され捨てられている、が、ウラミズモのこの私の水晶夢のただ中では、今、亀のような船が、尾に龍、首に海亀の頭を出した生き物のような双頭の濃緑の船が、空から降り立っている。というのもウラミズモ神話ではアメノイワクスフネは使われる事がなかったから、ヒルコを抱いてイザナミ、ミーナ・イーザは逃げてしまったから。それ故この船は宙に浮いていたのだ。そして、――。

それは実はヒルコを流すための舟ではなかった。彼ら「夫婦」が南方から来た時に乗ってきた舟だった。長い歳月丈夫に保つようにイワという音をも含み、アメ、という国家性とクスというタブー、反権力の毒をそなえた舟。その舟がまた南を目指すのである。

淡島はヒルコと共に、日本では子の数に入れないものとされ黙殺された。しかし男親はともかく母親ミーナ・イーザは、この島を無視していないのである。そこで半分存在した状態で淡島は待っていた。うかつにも私はこの淡島を語り残していた。ところでさっきワニについて私が述べたイメージだが、正確にはあれはワニではない。あれは淡島だ。それは農業神を求め、自分の帰属する国を求めている見えなくされた大地だ。

こうして、語り残した存在が集まってきて私に最後の神話を完結させる。まず、日本の農業神を生んだワクムスビの姉妹であるミズハノメである。彼女はまだ何もせずここに残っている。すると淡島は――。

ミズハノメを自分という「土地」の農業神にしようとする。無論、ミズハノメは日本ではただの火伏せの竜神とされただけだ。でもウラミズモでは――「見えなくされた土地」を生かし緑と実りをもたらし、そこを実在の、宗教上の常世と化す女神となるのだった。

こうして、沖を蜃気楼のように走る大きく成長した淡島をアメノイワクスフネが曳航していた。トリフネを先導しているのは無論ミズハノメだ。彼女らは一体化して「海外」に「故郷」に向かおうとしていた。見えない島とされ収奪されるだけの存在が神と航路を得た。利用されているのに黙殺されたひとつの「国土」が、南への「足」と新しい農業神を得て今建国する。つまりこの国土が常世になる。彼らは常世を作ろうとしているのだった。時流を逆上って。

**学女たちよ。――ミーナ・イーザの産んだ火は女の力だけで産まれた女の火だった。そしてもしその女の火が女の国の上で燃える時が来たら、その火は海の上で、水と接していても消えない火になった。その火は沈む陽をとどめ死者をも招き。**

**常世よ。海上に燃える火が不可能を可能に、夢を現に。**

**おお、――やはり「私の男」も本当に存在してしまうのだ。たとえ私の死と引き替えとしても。**

海の上に炎が燃えている。この世の火ではない新しい色で、炎の粒は水底に沈む時溶けて金色の魚になる。あるはずのない相反する二種の波動が、リズムが、この世ならぬ境界の水面でつながり、この世に現れる。

彼がいる。歩いてくる。水の上の燃えさかる炎の上を。私が行くのか、彼が来たのか。

――ははははは、ナリヒラの歌だ。

――君や来し我や行きけむおもほえず
――夢か現かねてかさめてか
号泣しているのは詩女と学女。

猩々の面を彼ははずす。強い眼光が涙に思えるような。整わない口許が赤子のような。愛らしく威厳ある芸能の神よ、南から古代に来て中世をも越えてきた、見えなくされたものを、見せる神よ。ああ神話作者火枝無性がまた地母神ミーナ・イーザが、すべての役目を終え今私の体から離れてゆく。私はただのひとりの女に戻る。しかしそれこそはまさに真の女、この世にはすでに「いない女」だった。あなたを待っていた、スクナヒコナよ。常世に消えたあなたを。

今、私はオオナンジに戻る。

私は自分の一生に満足している。ウカがいなければ私はいなかった。猩々がいなければウカとも会わなかった。我が国を好きだ。前はこの国と言っていたのにいつしか我が国というようになっている。私は愛する我が国に私の神話を植え。

しかしこの国の核心にあるあの恐ろしい事実を――。

やはり、「事実」なのか。


**どうすればいい、私はもう死ぬが。**

祖国万歳。でも、
うわーっ。
うわーっ。
うわーっ。

# 引用・主要参考資料


「古事記」（角川ソフィア文庫）
「日本書紀（上下）」宇治谷孟訳（講談社学術文庫）
「蛇――日本の蛇信仰」吉野裕子著（講談社学術文庫）
「出雲神話」松前健著（講談社現代新書）
「南方熊楠全集3」（平凡社）
別冊歴史読本　特別増刊「よみがえる異端の神々」（新人物往来社）
「日本神社100選」鈴木貞一、円谷真護著（秋田書店）
「日本『神話・伝説』総覧」宮田登ほか著（新人物往来社）
「淀川考（18）」樋口覚著（「一冊の本」二〇〇二年十二月号／朝日新聞社）
「小説　出雲王朝挽歌」三枝和子著（読売新聞社）
「レスビアンの歴史」リリアン・フェダマン著／富岡明美、原美奈子訳（筑摩書房）
「女と女の世の中」鈴木いづみ著（ハヤカワ文庫）
「図説　花と樹の大事典」（柏書房）
「うわさと俗信――民俗学の手帖から」常光徹著（高知新聞社）
「ズバリ的中　夢占い事典」武藤安隆著（日本文芸社）
「細密　夢占い事典」秋月さやか著（学習研究社）
「夢占い」ジュヌビエーヴ・沙羅、小泉茉莉花著（ナツメ社）
「詳細　夢解き事典」不二龍彦著（学習研究社）
「動物たちの霊力」中村禎里著（筑摩書房）
「聖トポロジー――地霊の変容」鎌田東二著（河出書房新社）

# 作者による解説
# ――水晶内政度が復刊した。

既に十七年も前の作品である。二〇〇三年の刊行である。言い残しておきたい件がいろいろとある。

## 一　予言

二十一世紀初頭、ネオリベラリズムの台頭と共に現れたバックラッシュ、その汚風を受けるしかない運命の下に、当時の私は第三次純文学論争を戦っていた。（三に後述）その副産物というか、むしろ主産物として、ここからの私はいくつもの論争系小説を書いた。例えば「てんたまおや知らズどっぺるげんげる」、この「水晶内制度」、さらに「だいにっほん、おんたこめいわく史」、「だいにっほん、ろんちくおげれつ記」、「だいにっほん、ろりりべしんでけ録」のだいにっほん三部作等をである。その後それらはスピンオフ的な「ひょうすべの国」、「ウラミズモ奴隷選挙」に繋がっていった。

ちなみにどの小説も設定は共有で、ことに二〇〇三年に既に書かれているこの女人国ウラミズモは、最初から旧茨城を舞台とし途中からは私の住む千葉県北部をも含むようになった。というよりも、県境を接してもっとも近い原発のある茨城を舞台にすることは、最初から決まっていた。そもそも私の住んでいる場所は千葉と言っても茨城よりで、地震も気温も茨城に近い。二十年前からこの茨城的千葉に私は住んでいる。私は目の前のものから書き始める作家である。

近作は現代のネットをそのまま移したかのように誤解されている場合もある。が、すべては今世紀初頭に始まったことだ。

現在の日本の、ネットをも含む言語状況を、これら一連の作品群の中で私が「予言」していたと言われる事もある。北原みのり氏や、女男を問わぬ古い読者が言及するところ。とはいえ、実はこれらはそんなに特別な能力ではない。

長年の私小説的な考察と文学論争の結果である。私はただ危機感から近未来を書いた。最初は文学の世界に起こった小さくとも不気味な異変だった。十数年後それはこの国の経済や政治を占拠していた。そして私という女性によって書かれているが故に、拙作は現在のネオリベラリズム下の女性差別をも予言することになった。これは二〇〇六年「だいにっほん、おんたこめいわく史」、からそのスピンオフ「ひょうすべの国」にも登場する「名誉少女」において顕著である。しかし実はこの名誉少女の前身であるものと私は実は前世紀に遭遇しているのだ。その時から一抹の危惧を抱き始めていた。原発についてもやはり前世紀、たった一度だけお目にかかった田中三彦氏から「知っても殺されない程度の」お話だけだが、伺っている。

ネオリベラリズム特有のさまざまな現象、あるいはこの経済体制を生んでしまう萌芽となるもの、それらは実は前世紀から観察出来たのだ。

ちなみに目の前にあったものというのはただ単に物質という意味ではない。言葉である。ある日道端に異様な雑草が繁殖しはじめる。そのような、本来あるはずのない言葉の顕在化。権力者やマスコミ、ことに三流評論家の使う言語について、私は見ていた。

## 二 言語

そもそも現政権のおかしな言説、これとそっくりなものが十数年も前から、既に文学の世界には飛来してきていた、といってもそれらは小説の言語ではない。殆どはポストモダンまがいの程度の低い評論家の言動である。彼らは必ず文学を読まずにくさし、売れないと批判した。しかもこの連中は一律に小児性愛に甘く、その文章はひどく、言葉を知らず、主語はなく、常識もなく、加害しておいて被害者を装い、反権力ぶりながら抑圧を常とし、陰で批判や応答に対する言論統制をかけ、いい口を変えた。経済専一の口を利きながらすべてを数字ではかりつつも、その方法はおかしく、常に本末転倒、計算以前の前提条件を知らず、自分達の利権は握りしめてしかも見ないふりをし、さらには権力者を弱者扱いし真逆な比喩を使った。要はやり口も存在それ自体も、まさにネオリベ経済の尖兵であった。

それらは現代に特徴的な少女虐待と、関係があった。

これらはすべて昔、私が「おんたこ言語」と呼びあるいは論畜と名付けて観察していたものだ。当時はまだ一部だけで、例えば学術を侵食し、マスコミの底辺にはびこっている段階であった。しかし現在では尖兵どころではなく、既に軍事基地と化して日本を制圧している。

というのも今これこそが、新聞もろくに報道しないままに、国民を愚弄し続けているあのおかしな国会答弁、閣議決定、いわゆる安倍言語であるから。彼のだらしない口元は見たとおり、別に、ポストモダンでさえない。それはネオリベラリズム経済が言語に反映されたもの。議論をなめた経済暴力が、国会討議まで破壊し尽くした後の、ガラクタ言語である。

今、私は振り返る。あの総理を見れば自明のこと、当時の評論家の多くに(そのうちの大部分は今も威張っている)哲学は必要ない。というか存在自体に意味がない。要するに彼らはただ経済状況に迎合した言説を展開しただけなのだ。反抗はポーズだけ。するのは金勘定だけ。気にするのは派閥だけ。女性差別がデフォルトなのに平然とフェミニズムを論じて恥を知らない。

つまり「水晶内制度」を生んだこの第三次純文学論争とはこのような言語との闘争だったということである。

## 三 論争

この論敵について、私はただただロリコンマンガ雑誌を作っていた人という認識しかなかった。というかもっと以前にはあんまり威張っているのでマガジンとかジャンプの編集長なのだと思っていたわけだが。けしてそのような大物ではなかった。

彼は芸術を売り上げではかり、文芸誌を潰せと言いながら、赤字なのを責め（しかしその雑誌は完売赤字の定価がついている文化事業、たまにそこから村上春樹等のベストセラーが出るだけ、そもそも本来単体黒字の雑誌などというものはジャンプ等ごく一部である）、インチキ計算をし、その上で自分はその赤字だから潰せと言った文芸誌に連載を持った（原稿料は？）。というわけで私はその矛盾、二枚舌を指摘したのだった。それで矛盾を突かれた相手は出ていったのか？　話は逆である。

つまり私の方がたちまち相手から言論統制をかけられて、二十年ほども書いていた「群像」から追放されたのだ。なんと当時の編集長がそれをやってのけた。

相手方は評論家というよりはマンガ原作者だった。そのマンガは何千万部も売れ、本人はそれを「殺人ポルノ」と呼んでいた。売れるに決っているはずのそのノベライズが、本来縁のないはずの群像版元から急に出たりしていた（太っ腹な事でw）。

ところで、長い話になるので省略するが、昔から私はこの彼の言説に「注目」しこれを批判し続けていた。論争が始まるまでに、ほぼ十年が経過していた。

最初は丁寧に「ちがいます止めてください」と言ったりしたのだった。しかし、相手は聞こえぬふりをして「手を動かし続けていた」、文学には価値がない、なぜならばおれに分からないからだそして売れないからだ、という妄想に基づく、「必死の主張」を止めなかった、その上で次第にあつかましくなって、ついには売れない文芸誌を潰せと言いはじめた。つまり私の繰り返す抗議の声を黙殺して、エスカレートしていった。

要はこのようなインチキなからくりで、文学はおれに応答してこないという嘘を繰り返したのである。「黙っているからOKかと思った」って? さて、……。

まず、女性が批判、反論しないから、痴漢が男尊が戦争がはびこるのか、文学が黙っているから価値がないのか、とんでもない、女性も文学も声を上げる前に圧殺され、あるいはクビを覚悟で叫んでも黙殺された後に陰湿に仕返しをされる。しかもずっと後になってから、……。

その叫びを無効化して、本質を取り除いた「人畜無害な」偽物が時には加害者の側から披露される。その刃を欠いた装飾刀を証拠にして、「ほーら反論させましたよ」「ほーらこれが本物のウーマンリブですよ」などと言ってのけるわけだ。が、本当に必要な事はその時点で消えている。ねじまげられていて、違うものに占領されている。

## 四　執筆

論争当時、男女の体力差が関係ない言語の世界であるのに（ていうか私の方が強いのに）、反論を禁じられ力を封じられ雑誌を追われた。さらには、安倍言語によるデマを流されたり、ヒステリー扱いされつつ女流はこんな目に遭うのかと思うしかなかった。論争には既に慣れていたが、そのたびに思うことであった。

というのも男性は論争をしてもさして人間性を問われることがない。言葉使いでも問われることがない。むろん内容については男性でさえも資料の間違い、引用の句読点ひとつでも批判されるだろう、しかし女性の抗議の声はその段階に進むことさえ許されない。

論争当時、私は新人賞三冠を有した文学当事者であった、それが売り上げで文学を計る素人に対して声を上げげなければならぬ状況であった。当然の主張をただ感情的なものとされて黙殺され、ヒステリーと言われ、陰で笑われ、気が狂ったと言われ、時にはいきなり、裁判にするぞという書類が来る、さらに批判対象に惚れているとか（誰に？）、性的な噂を流されてしまう、とはいえその一方、……。

論争家として文学史に残る大西巨人氏や第二次純文学論争の立役者加賀乙彦氏などは、私を小説でも論争でも認め支援してくれた。中には中森明夫氏なども馬鹿にしながらだが味方してくれた。彼は私をジェイソン・笙野と呼んだ。女性、尾崎真理子は記者として、純文学の「守護神」と呼んだ。その他、案外な数の男性評論家が私についた。

しかしそのような味方を得てはいても、男社会の正体を見たと思い、私は世の中が嫌になっていた。

当時から私は小さい神棚のある書斎で執筆していた。ひとり住まいの一軒家で住宅ローンと猫を抱えて、自分の小さい神様を拝みながら書いていた。

女性が中心の世界はないのか。男がここまでひどい事するのなら、何ももう民主主義なんか気にしないでもいい、それより女だけが勝っている女の国があったらいいと、……。

それは空想にすぎないが、次第になくてはならないもうひとつの世界と化していった。むろん思いをそのまま書いてもそこに女人国はなかなか定着しない。

なので主人公の妄想の産物かもしれないと、或いは薬漬にされているのかもしれないと、現実が幻想に見えるように書いた。ともかくお経のように極楽を書くだけでは、私などはそのまま信じてはもらえない。その上そもそも、私が書いているのは「男女平等が失われた」、「レズビアンのセックスまでも奪われた」社会なのだ。

当時、文壇パーティーのしかも野間文芸新人賞の選考委員挨拶で、私はつい、「女こそが人間だ」と「男性差別的な暴言」を吐いてしまった。むろんたちまち男性が男性差別だと抗議してきた。しかしどんな状況で私がそれを言っているか、知っていてほしかった。その時にはもう私は群像を追放されることに決まっていたのである。しかも追放を条件に書かせてもらえるはずだった批判は封じられたままに、追い出された。私は会場で当時の編集長から狂人扱いされ、笑われ、ヒステリー扱いされた。

ところがその年、まさに私達の選考で出た野間文芸新人賞受賞者島本理生氏は、この時の事を覚えてくれていて、その後味方するエッセイを書いてくれた。

私とこの若い作家の数少ない、共通点を述べておく。ひとつは私小説を書くこと、さらには子供への痴漢を憎み、テーマにすること。もうひとつはなんと、種子法廃止やＴＰＰの危険性を理解して批判しているということである。

女が人間であるということ、それは自分を大切にし拒否すべきものを徹底拒否する、聖、域を守るという覚悟である。それを理解した上での共通点である。

　選考委員挨拶や選評まで私は論争に使い、ゲリラのようであった。ちなみに、この論争の顛末であるが、……。

　言論統制をかけられて出身雑誌を追われた私は、マスコミのコードを潜って論壇誌やリトルマガジンから彼を批判し、結果今彼の姿は群像にはなく、私はその後群像でだいにっほん三部作を書かせてもらった。

　そして、文芸誌を潰せと言われた十八年後も、お蔭様で群像はいまも細々存続している。まあどうせ今だって安全かどうか、というのも私はその途中、いきなり選考委員をクビにされたり、いきなり二度目の追放、というより、三十人程の作家とコミでいきなりただひたすらゴミの日に出された時期があったりしたから。が、それでも論争からここまで、十八年間、群像が今も延命しているという事実は残る。ちなみに私は群像に三たび戻って発表した私小説で、純文学最高峰の野間文芸賞を受けた。

　が、めでたしめでたし等と言っていてはいけない。だって、その私小説の内容と来たら、十代から苦しんでいた痛みや疲労が実は難病、膠原病だったと判明しての闘病記なのである。いやそれより何より、……。

　ジェンダー・ギャップ指数百二十一位、今はこの現状をなんとかしなければならない。

　ところで論争が終わってから呆然としたのだが、奇しくもこの私の論敵は……。

かつて子供の裸の写真をグラビアにした雑誌の作り手であった、ということが判明した。それを知ったとき、……。

「うわーっ、うわーっ、うわーっ」と私は叫んだ。

むろん、彼がそれをこしらえていたのは九〇年代より前のことだ。しかしその時代は潜伏期に過ぎなかった。ただ、新世紀が来た時、彼は躍進した。性暴力、差別暴力、経済暴力を言祝《ことほ》ぐ、言説の神殿に祭り上げられた。この「殺人ポルノ」マンガの原作者の思想や提言に、マスコミ編集者達は熱狂したのである。

私はこれこそがまさに宿命、だと思った。時代と児童虐待の交錯する宿命、さてしかしこの宿命の本質とは何か？　経済である！

## 五　経済

九〇年代、ＩＭＦの経済政策により、昔の奴隷労働のような児童虐待労働が世界規模で、歴史に逆行しはびこり始めた。

やがて世界は新自由主義に染まる。こうして、「餓死病死を放置する強者のための自由、妊婦を殴り、子供に重労働を課し、車椅子を蹴り飛ばす弱者なき平等、痴漢強姦に差別をしない博愛」等がやって来ようとしていた。

当時私が啓蒙された資料は「子どもを喰う世界」である。この本を読売新聞の読書委員会で四半世紀前に私は書評した。

マルクスは経済が文化や人間の精神をも規定するといったむろん、それが、すべてとは思わない。しかし部分的に当たっていると私は思う。経済は重要だ、時に人は経済政策を反映した性欲を持ち消費をするのではないか。

まあこんなの別にいちいち個人名を出してくる必要もないのかもしれない。つまりネットを開ければ、子供の顔なのに大きな胸、の二次元の行進がある。なお作中に書いたが、これらは三次元に実在している可能性もあるのだ。本物の少女にホルモン剤を飲ませ、成熟を早くして「労働」に駆り立てる。それは人体を経済効率で計った結果である。

その上でこの国はすべての表象にこのブロイラー少女を使う。ばかりではなく殺されるのは少女、戦うのも少女、責任取るのも少女。少女が資材である。

全て少女に責任を帰し、性暴力が国土全体を覆う誤認地獄の国。むろん自由貿易全盛の今後は男性も含め、国民は血をジュースとして絞られ、肉を焼き魚としてひき毟《むし》られる。しかし例えば会田誠の絵で食われているのはただ、自発的に食われているという設定の可愛い少女だけ。食われるのは少女だけという国家的ごまかし？　その上に売春の自由意志と称せられるものを、この食われる少女で表現しているのでは？

ようするに、この他にも妊婦殴打等を性的快楽として刷り込まれた男がいる。連中は、自分の食われる番が来る事さえ理解しようとせず、経済暴力を性暴力に転化して射精し続けるのだ。

結果？　弱い者から死んでいく。妊婦、胎児、難病人、障害者、病人、老人、むろんどんな金持ちもこの自由貿易体制下で最後は骨になる。強者の経済体制に魂を売り、性欲までも金利に差し出した結果である。で？

なぜ私は自由貿易批判のような経済政策批判と、この一見かけ離れた少女虐待を結び付けるのか、理由？　本当に結びついているからである。

経済暴力としてのグローバリズムが聖域を破壊し尽くす、それは一見、フェアを平等を装いつつ、狙ってくるのはまず弱者の弱い部分から提供させ、食い物にすること。例えば、……。

「アダルトビデオに出たくないだと？　職業差別だな」、「おれとセックスをしないとは！　男性差別だな」。主語を大きくして個人をつぶしてくる。その磁場で女性専用車両を、既得権益として批判してくる。「女子トイレは男性差別だろ」、「男女平等なら今裸になってみろ」。「女は保護されている、特別扱いで産休や女湯に囲われている」、「これは性的利権だな、女様特権だ」。

他、「農産物に関税、なんで必要なんだ、もっと競争させろ」、「森も海も外国に売れば良い」「それで文楽は何の役に立つんですか」「純文学に意味はない、文学誌を……」、実に、あるあるの光景だ。もともと農業から漁業、林業、純文学まで、世界企業のえげつない経済原理に従おうとせず、国民の食物や言語を守る「一次産業の生産者」は、必ずそうやって叩かれてきた。

その上で女という存在である。これは子供を生もうが生むまいが置かれた立場や身体が、根本で一次産業的なものなのではないのか？　本来もっとも中心に置かれるべき存在なのに、値切られる側である。真先にしわ寄せの来る立場である。大切、不可欠にもかかわらず不要とか無能とか言われる側である。嘗められる側であり、蔑まれる側である。しかし、だからこそ経済原理で一律に切っていくことが出来ず、真に人間的でありその存在自体に価値があると主張したい。というかむしろ、男様が勝手に作った設定をはずせばたちまちトップにおどり出る存在である。しかし何よりもその生まれにおいて、……。

肉体的な不利に苦しみつつ、そこからありとあらゆる差別を受けてしまう存在である。

経済暴力とは何か、グローバリズムを平等な解放と詐称して、何かに侵入する事。安全装置や柵を壊し、弱者を襲い略奪する事なのだ。「男女平等なら触らせろ殴らせろ、女子トイレ入れろ、国家主権よこせ、経済主権捨てろ、国独自の先住民その漁業権を奪え、少数民族の住まう村？　汚染で全員死ぬまで採掘させろ、女湯に女だけで固まるな男も入れろ」。

自由貿易とは何か、痴漢強姦人殺しである。そもそも女性のセックスしない権利、自分のお金を自分で使う（使わない）権利、それこそがひとりの女性というマイ国家の、国家主権、経済主権ではないか。これでもＴＰＰが分からないと言っている方、「勉強します」と言ってみているエリートな御方、しかし暴力団相手に勉強してどうするんだ？

「勉強、しねえよ、嫌いだよ勉強」、「何にしろわけのわからんものにハンコは突かんよ」、

「そんなに差別が嫌いならてめえが自分でやってみろ同じ目に遭ってみろ」。勉強の前にまずこう言う事である。それでも自由貿易から顔を背けるお方、あなたはもしかしたら、ご自分のお財布ばかりか、身体や寿命の大切さを理解していないのでは？　肉体は国土である。自分とは国家である。

## 六　捕獲

今はどのような時代なのか、なぜにこうなったのか、その本質は何なのか？　グローバリズムの闇、民主主義の不全、搾取と呼ぶべきか、暴力と呼ぶべきか。

すべての悪徳の中から、私が注目するのは「捕獲」という行為である。

最初はあったはずの良心や本質を無効化する事、偽物に反権力を偽装させる事、それが根本で世の中を悪くする行為だと今は思っている。必死のひとりひとりを、その努力をすべて逆方向にねじ曲げてしまうつくり込みというか。

私はそれを「千のプラトー」から引用して拡大解釈し、「捕獲」「捕獲装置」、と呼んだりしている。分かりにくいだろうか？　少し文例をツクってみた。例えば捕獲装置的な男性というのはこんな具合である。本物の被害者から被害性を奪い、もっとも必要な痴漢強姦対策を無効にしてしまう。例えば、このようないい口である。

「私こそ本当の女性だ、理由？　女性などよりずっと差別されているからだ、さあ、私が許可するから、そこでセクハラに抗議している女性を殴ってやれ」と。さて、もうひとつ、

「私は差別された、少女という強者から被害を受けたのだ、このチビは路上で私が出している男性器を怖がったぞ、さあこの男性差別、男性の身体性への軽視と侮辱に対して、私は復讐してやる、だって私は女が受けているのよりもきつい性的な侮辱を受けてしまったからだ」。

フェミニズムにおける捕獲二例、しかしこれはただの譬え話である。

一方現実のフェミニズムはもう最初から捕獲の花園だったのではないか。というか、捕獲を免れるものはこの世にはないけれど。さらに弱くやり易いところにこそそれはまずやって来る。

前世紀の私は「批評空間」において、ある高名なフェミニズム研究学者から評判倒れの存在として、松浦理英子とセットにして批判というよりはただけなされていた。彼女はその場にいる男性評論家、柄谷行人と浅田彰に私と松浦さんを批判するように、すすめていた。自分で言うならともかく、言いつけ口をして？　男にさせるのかい？　そのコピーは今も保存している。

その高名な彼女は宮台真司とともに援助交際の「自由」を肯定した。

私はフェミニズムの本というものをろくに読んでいないし、まったく専門外の素人なので言うが、こういう方々がいまや一家をなしている状況で「フェミニストと言ったら笙野頼子でしょう」とかネットの穏健な市民に言われると本当に躊躇する。

その上にまだ言うがポストフェミニズムとか第三波フェミニズムとか言われているもの

の（読んだのの）なかに、相当にバックラッシュが混じり込んでいるような気がしているのだ。（「フェミニズムはみんな（男）のもの」？　それただの泥棒的捕獲だろう）。

　そして売春の自由？　八〇年代、写真の児童ポルノにダウン症のお子さんが使われていたケースがあるそうだが、売春の自由とは「売られる自由」なのか、そもそも性奴隷の自由と言ったら「奴隷の自由」になるのか？　あるいは結局は「買う自由」に尽きるのか？これこそが自由意志の捕獲ではないか？

　フェミニズムが男性のためのものだとか女はもう被害者を卒業するべきだという見地は、一体どういう分類でフェミニズムに入っているのだろう。そもそもそれを言っているのは真の当事者である女の口なのか。その口は、本当に？　少女の頃から脅かされて育った口なのだろうか、実際に女の身体についている口なのか。

　これを捕獲と呼ばずして何と呼ぶのか。

## 七　女性

　男性を幸福にしてあげて社会に貢献するためのフェミニズムをする？　それなら台所や土間の片隅で這いずっていたって千人針を縫っていたって可能ではないか。自分こそ幸福になりたい、尊厳を取り戻し自分中心に進んでいきたい、そういう運動は運動ではないのか？　というかたまたま自分が女で共通の不幸あるが故に普段は男の友達が多くても一点でも女性と共闘する、それで、できることしかしない、飽きたらやめる。というのは駄目なのか。自分が大事、それを根源にしてはいけないのか。

被害者は卒業しろという論調の陰で、性暴力の強制AVは擁護される。犯罪になるレベルの実録が横行する（バッキー事件とか）。さらにそんなものが横行するこの国において、今、わざわざ被害者になるな、被害者スタンスは終わったと言ってのけるのがフェミニストなのか。

体をライターで焼かれたり、布団の真空パックで窒息させられたり、したくもないのに痛い苦しい目を強要されて、苦しむ姿をビデオに撮られること。それが本当にセックスの自由なのか、というかそれは一体誰の自由なのか、まるで「強姦されるのはお前の自由だ、性病を感染させるのはおれの自由だ」と言っているようなものではないか。それにセックスの自由を言う前にまず衣食住や医療、身体、つまりセックスしない自由も含めてセックスよりもっと大事な、自分や家族や、仲間の権利を守らないとだめだろう。

根本、私は文学者である。学問がその怒りや原初のエネルギーを奪ってしまう前の、たとえ間違いが多くても、リスキーでも、本気で守るべき根源を持っている文学の場所に、自分の身体のある場所にとどまっていたい。というか女性である自分の心身に忠実に自分を大事にしたい。

そうでなければ女性の身体性を無視したり個々の女性の受けている被害をも黙殺したまま、理論に封殺されたイカフェミ的な学者面になってしまう。

これはつまり、私が女性をどう捉えているかという話ではない。私がたまたま女性であり、女性の体を持っているという事実に基づいた考えである。

　昔、一時期、心だけは男性かもしれないと思っていた。というか今もたまに部分的身体異和はある。しかし私のケースは結局なんとか自分の体と折り合ってきた。むろん人それぞれと思う。

　当然ジェンダーに違和感がある。なおかつ、女性の化粧や恰好からは抜けている事が多い。男物の服やサンダルはシンプルで丈夫で私の体型にはとても楽だし、高級な生地でも男物ならオレンジや臙脂はバーゲンで残っていて安く買える（ピンクとかは着ない）。しかしそれを着ていても別に男ではない。女の身体をした自分、個人である。

　恋愛、ファッションから語られるマスコミ的フェミニズムには気がむいていない、というか広告のにおいにうんざりするだけだ。プラダが買える人だけのフェミニズムとか。男性がフェミニストを名乗るのも「なんで」と思う。サポーターでいいだろう？　とか思うだけだ。

　そもそも女を押し退けて前に出たい、野良状態の女を体力で捕まえて所有し命令し売り飛ばしたい、上から欲望目線で見て、「提督」になりたい。あるいは大学のフェミニズムポストを男だが欲しい。こう思っているような人が「私は男だがフェミニストだ」と言ってくるケースもあるのではないか。

　他、女を殺せ殴れとか言う代わりに「フェミニストを殺せ殴れ」と言うケースもありそうだ「男にもフェミニストはいるから今のは女性差別発言ではない」と言い逃れするのに便利な言葉であるから。

## 八　国土

女人国とは何か、けしてジェンダー主義やフェミニストの国ではない、ウラミズモでは女とは、女性の体を持っている人、という意味でしかない。そういう意味で性転換手術をした方は生来の女性とともに移民審査の対象とされる。

ただしこの審査基準は作中にはっきりとは書かれていない。むろん政治的正しさを判定する審査などありえないだろう。問われるのはおそらく、この国に係わろうという当事者意識、「悪と言われても」、「女であること」、を引き受ける覚悟である。同時に他人に性的な事を絶対にしかけない決意と習性である。

要するにここはセックス中心主義から逃げてきた女性専用の国。そもそも主人公はレズビアンでもなくフェミニストでもない。ただの女性なのだ。この国でもっとも称賛されるのは「ただもう、ただただただもう女であるというだけ」の存在である。

女でありさえすれば人間でいられる、一定の権利が認められる社会なのだ。女イコールセックスの道具という国ではない。男を圧倒する能力や品位等も必要ない。

隠れレズビアンであれ、ヘテロセクシャルであれ、性的孤立も友愛も守られる場所、原則痴漢強姦のいない世界である、もしいても普通は体力が伯仲しているので躊躇なく殴り返せるし、警察もたちまち対応してくれる。何よりも二次被害のない国と言える。それはお給仕のない食卓、楽しい夜道、安全な電車、保証される育児。そうそう、女が床几にステテコ姿でビールを飲み家の前で風に吹かれている夕涼みの国である。親友と生涯や財産やお墓までも、共にしていいセックスレスの世界。

しかしそういう楽園は警察国家でもある。

もともとの着想を得たのはリリアン・フェダマンの「レスビアンの歴史」からである。当時読売新聞読書委員会でこの作品を私は書評した。故米原万里さんが取り上げてもいいと言いはじめた時、私はやりますと言って既に手を挙げていた。しかしそれはただレズビアンという少数者の代わりになってこの本を取り上げようと思っただけであった。読んだ当時は知らない言葉が多いし、この盛り沢山な内容を纏めて書くのは、大変だなーという印象だけだった。

ちなみに私はその後「あれを書評したからレズビアンだと思われたんですよ」と当時親しかった女性記者から言われたりしたものだ。が、この話題の元ネタは別にあった。清水良典さんの「笙野頼子　虚空の戦士」という笙野頼子論に該当するところがあると相手はいうのである（まあいくら見ても私にも分からないのだが）。

清水良典さんは長年私と伴走してくれた大事な評論家である。途中で一回喧嘩しただけで、ずっと変わらず尊敬している。ただプライバシーを語るようなお付き合いはない。

というか、昔からレズビアンと思われることが多かった私である。仲間と思って打ち明けてくれる人がいると申し訳ないので（というかたびたびいたので）、ここに書いておく。

私はおそらく、ヘテロだと思う。ただ人からはレズビアンに見える。

インタビューの時に「笙野さんレズビアンですか」と初対面の女性記者ににっこにこで言われ、シンプルに違いますと言うとまた重ねてにっこにこで同じ質問をくり返され、仕方なく別の怒ってよい事で相手につんけんし、相手のインタビューや依来方法の別のダメさについて新聞でガンガン書いた事もあった。他、時には無料で出てあげた集まりの大勢の中で、知人の作家について「〇〇さんはレズビアンですか」と堂々と聞かれて頭に来たり。

なんというか「水晶内制度」を書いていた頃はこの件について本当にひどい時代だった。中には女性の編集者で「私などではお嫌でしょうが」と言った人もいる。私を現実にそうだと思った上で自分達は冗談として言ってくるのである。

今同性愛が少しずつ認められるようになっている。しかしこのネオリベ下である。レズビアンは女性であるが故の差別を、むしろ余計に受けたりしているのではないか。というかレズビアンの人は特に最近気の毒そうである。身体弱者だけの場所や安全安心な世界は、捕獲された公共性、装われた弱者性、偽りの平等の前に脅かされつつある。

なお、以前北原みのりさんのノートにお邪魔してO川A太郎批判をした時も私が気にしていたのは主に自分の読者のゲイの方や、現代こそむしろ（ボストンマリッジの時代と比べて）生きにくいのではと思うレズビアンのカップルであった（後は自分的な、金毘羅的問題）。

まあ一応言っておく。

女性を性愛の対象にしている人間がこんな小説を書くだろうか。あり得ないと思うが。

## 九　本人

地味作家の私生活などどうでもいい事だが一応説明しておくと、私はキスとかセックスとかをした事がない。男とプライベートで食事した事もほとんどない。ペニスというものをほぼ見ていない。露出狂がいた時たまたま眼鏡を掛けていなかったり、顔だけしか見てなかったり、強運にもそれで済んでしまっている。

しかし痴漢は昔から危険なとても嫌なものにいくつも遭っている。そう言えば五十越えても怖いことがあった。その上でそれでも自分がレズビアンではなく、またセックスするのにむいていないし気が向かないという事だけどういうわけか言える。

さらに性愛の対象になるはずの現実の男性の肉体とか、目の前にあっても実際にはあまり興味ない。男性なら色気なく論敵の悪口や民俗、ドゥルーズの話が出来る人が好きで、男性の読者も好きである。むろん女性差別しない事が大前提である。しかしそもそもどんな会いたい人でも、私は易疲労性の難病で、人に会うと疲れる。最近は全身痛のため長電話まで苦痛である。

そして若いころの数少ない片思いの対象は（三次元だが結局男優とかレコードの声だけとかそんな事が多い）結局男性であった。その一方女も男も他者に過ぎず、現実では、少しでも身体接触してくる人間は全部負担になった（はずなのだが実は、ボストンマリッジをしようかと思った事が二回）。ちなみに接触と言っても猫と赤ちゃんは別で、両者の涎とか肉球またはお手々でぺんぺんされるの等はＯＫ（歓迎）である。

ちなみに映像の同性セックスやキスを見ている事が出来ない（まあ向き不向きであろう）。しかし六十歳を越えてからは、美男美女の非現実的な恋愛シーンなど稀にだが見とれている場合がある。その時は差別的成分を料理に入っていた髪の毛のように感じている。でもそもそも角膜に疵があるので映画などは滅多に見られないから。

先述のように私は「金毘羅」という小説も書いているが、その主人公の正体は人間の皮を被った深海生物で、女性差別と自分の性別に違和感を持って育っている。これを私小説的と言う作者である。つまりは人間というものがどんなものかあまり分かっていないのかもしれない。

## 十　結婚

「レスビアンの歴史」の後書きには、著者本人が同性パートナーである年下の女性に生んでもらい、人工受精によって天才児（数学）を得たというエピソードが書かれている。では、さて自分は子供が欲しいのか？　自分の若いころを振り返ると夫がもしいるなら子供はいらないし、夫がいないのなら子供が欲しかった。さらに途中から夫はもう人形でもいいではないか、自分は孤独でいたいと思うようになった（そう言えば日本女性の六割がセックスを好きでないと聞いたことがある)。

女男問わず、人形にいきなり、ときめく事はある。別に等身大でなくてもいい。しかしそれはけしてシリアスにはならない、ふっと「いいなあ」と思うだけで、実際はリラックマのキイロイトリとか立教大学の立教ベアとかそんな人形しか持っていない(それで十分に可愛い)。後猫が死ぬと辛い、……、言うまでもない。

その上で執筆当時は男社会に絶望していたのだ。とはいえ、……。

女の子を増やして、ずっと一緒にいる国という構想は最初はなかった。つまり出産拒否の結果滅ぶという前提で書いていたはずなのだ。根本には十代で読んでいた、水田珠枝氏の「日本女性解放思想の歩み」(岩波新書)があった。出産拒否というものに七〇年代はしびれていたのだった。

しかし、それでは国が動こうとしないのである。国民も嬉しそうにならないのだ。

ウラミズモを最初は刹那的な極悪社会にしようと思っていた。しかし作中から男が消えたとき、多くの女が長生きしたいとまで言いはじめた。お母さんと暮らしたいと言う女性もいた。私がその時に思い出したのは母の知り合いで独身という高校の国語教師。

平屋にガラス窓の可愛い家を自分で建て、その家で家事もよくなさる九十歳のお母さまと二人で暮らしていた。庭には小さい鉢植えが沢山あり、母は朗らかで、子は六十代なのにバラ色の頬をして俳句を詠んでいた。

テレビで女性の同性婚のニュースを見ているうち、外国人の血が濃く体の大きい女の子たちが、堂々たる母親となり二人日を浴びて暮らす家庭等目に浮かんできた。ただ本当の同性婚と違い、ウラミズモの結婚は友情だけという建前がある。

しかしそれはそれで楽しいのではないか。独特の楽しさがあるに違いないボストンマリッジ出産、書いているうち、滅ぶどころか、子孫繁栄女系延命のための、政治的に極悪な監視社会が出来た。確かある程度書いたあとで、最初のほうに手を入れて、子供が増える設定に変えた記憶がある。

女の国民に十分な保障のある女の国、そこでは女の子を生んでも「失敗作か」とか「また女か」と言われる事はない。信頼出来る跡取りとして自分の子を生んでいく家母長制社会である。むろん、生まない人は生まず、それで退屈なら男性に対する恣意的な幻想を人形に投影させる。性欲は逆遊廓で満たすことになる。

女性同士の友愛の頂点として、お互いの生んだ子をいっしょに育てるのは、非協力的な男と育てるよりずっと楽しいかもしれない。

ところでレズビアンでセックス中心主義の方がこのウラミズモに自分は拒否されたと言って被害を訴えているのをネットで見た。けれど、その場合は男女こみでも、やはりセックス中心主義の国にそのままいるのが、その方にとってはまだしも幸福な生きかたではないかと私は思った。だって今出来ることは限られている。つまり、……。

痴漢強姦の横行する国でもセックスを人生の中心に据えるのか、セックスがない事で安らぎを得るために逃げて建国するのか。どちらかを選ぶしかない。そもそも奴隷だけが逃げて来て作った国であるので、わざわざそこに侵入してきて「女性の真の解放」なんかしてくれなくてもいい、というかここは作者が作った幻の世界なので。

それ故、少女人形さえ許されないほど、女性への性的評価や対象化は制限される。女性に生まれた女性は筋肉の弱さや生理、出産等のために男性権力から付け込まれる。それをまず解決する国としてウラミズモはある。安全安心が先でセックスは消えている。

要するにこれは女社会を求めた、身も蓋もない欲望の、夢の国なのだ。そのためなら悪いこともするし民主主義の理想など絶対に求めない。

つまりは家庭そのものが牢獄であったり、通学路が処刑場である、そういうところから逃げる話である。政治的に正しくない方法論の利便性と問題点を追求するしかない。が、……。

近作になると、私はどうも女人国の心地よさのほうへだけシフトしてしまっている。「ひょうすべの国」から明かされてしまうが、最初から原発がなかったというからくりも、実は本作で子供が生まれる社会が定着してしまった時点から、続編でいつかそう書かざるを得ないかもしれないと思っていた。

その上現状、日本の女性の地位はうわべはともかく、下がっているようである。というのも読者がとうとう「ウラミズモに移住したい」、「私も住みたい」というようになってしまったから。その結果作者は「許可します」、「許可します」と言いつづける執筆になってしまっている。

スピンオフされる国の雰囲気は既に、申し訳ないが最初のこわもてぶりと違ったものになっているかもしれない。同時に三の線が次第に減じつつある。「ウラミズモ奴隷選挙」なども本作より現実感のある情景設定になってしまったため、最初は皆無だった戒厳令を国境にだけ期間限定で設定しているし、男性も周辺にだけごく一部住ませている、というようにやや、「地に足がついてきた」。

というかついに正体を現した自由貿易への批判も付け加えられてしまったので現実的にもなる。

## 十一　評価

当時の新潮の男性編集長は民俗学的見地からこれを喜んで載せてくれた。この時の原稿料は結局途中で一回前借りした。二百回忌等、代表作を書き上げるとき、私はお金がないか膠原病が悪くなっているかのどちらかである。このあらすじやディテールを前借りのためもあって、いきなり編集部に電話して、担当に説明しはじめたら、相手はひたすら「うわー、すごいなー」と言い続けていた。その後半分まで書いた作品を読んで貰ったら、「ぼく、笙野さんが発狂してしまったのかと思いました」と言った。

民俗と言えは、フェミニズムの書き手でもこの本をずっと、民俗学的興味から読みつづけてくれていた人もいる。その他には最近の男性評論家が原発という見地から論じてくれた。

ひとつ珍しいのは私の論敵のひとりである男性斎藤環氏が女の引きこもり問題として論じた事。そう言えば当時の新聞（各紙絶賛）には男性の書評家から特定の読者しか受け入れないのではという含みのある、しかし全体は冷静な紹介も載せられていた。今思えば書評が出ているというだけでも感謝すべきであった。

そもそもこの小説において、私は政治的に正しくないことも多く書いているのである。だってあんなに男性の人権を奪ってはジェンダー・ギャップがすごいことになってしまう。海外での評価？　本作は当時多和田葉子氏が、その部分訳をドイツの朗読会で紹介して下さった。大変反響があったというお手紙をいただいたけれど翻訳は難しいと私自身も思う。私の文章は捕まえ難い。本作に限らず挑戦してくれる方は少ないが各国から現れるが、しかし、……。

いつかいなくなっている。「てんたまおや知らズどっぺるげんげる」はその最難関らしく、一度外国の日本文学者からもうこれ以上になると研究できなくなるという声が（知り合いの日本人、プロレタリア文学の専門家の手紙により）伝わってきたことがある。

なお、女男にこだわらず、ご自分の性別にも何もこだわらず、厳しく徹底解読してくださったのは、敬愛する小説家の佐藤亜紀さんである。同時に小谷真理さんにも大変お世話になった。

この「水晶内制度」で私は、小谷さんたちが企画している、センス・オブ・ジェンダー大賞を受賞している。その他にもやはり女男を問わず、ここに書き切れないほど、けっこうな数の方々が支援してくれた（という記憶がある）。

つまりお礼をいわなければならない人々があるのだけれど、それだけで本一冊になりそうなので割愛する。

ちなみに、その後の本作は木村朗子氏の「震災後文学論」を見てもリセットされたらしく、本作の予言性や批評性など元の版元新潮社界隈では、まったくなかった事にされてしまっている（電子書籍にはしてくれたのだが）。

そう言えば北原みのりさんの「日本のフェミニズム」インタビューで笙野頼子は女にしか読めないと書いた、あまりに精密さを欠いた「論考（水晶内制度論含む）」を批判した事がある。これについてはいつか纏めて補足するが、私にはたちの悪い捕獲装置としか思えなかった。

ちなみにその時こんなものよりずっと価値があると言われた修士論文は別に厭味のために出したのではない。勝手に読ませて貰ったが作品を扱う丁寧さに愛情を感じた。その著者は若い女性であった。

なお、この「日本のフェミニズム」には資料を提示しないのなら、増刷するな、という要請がある女性学者から掛かり、責任者は上に出ている「批評空間」を送付している。しかしその後どうなったのか、私は知らない。

## 十二　男性

というように要するに、女男関係なく、私を支援してくれたり連帯する人間はいる。しかしそれはもし一般社会なら砂金のように、滅多にないものと分かっている。そもそも文壇のごく一部をのぞけばその女性差別は一般社会よりも（独特に）ひどい。というのもこの領土の殆どを既に、売上系のマスコミとセクハラ系のアカデミーが捕獲してしまっているから。しかし、その捕獲をさせぬようにがんばって捕獲装置の狙う場所に居座り、戦って少ない陣地を残す、つまり聖域の境界を守る事も文学の仕事のひとつである。

むろんこの件で私だけは運が強く、基本文壇のパワハラには苦しんできたが、その一方で女男問わぬ評論家や読者にも恵まれてきた。一方、渡る世間において、ことに若い女性ならばどんなに探しても「そうじゃない男」には滅多に会えないのが普通であろう。私はただ運が強かっただけだ。

例えば難病と判ったとき、自宅からバス一本で行ける病院があった。もともと一晩の仮死状態から生き返って呱々《ここ》の声を上げた赤ん坊である。鉗子分娩で私は生まれたのだが、間一髪のところで目を突かれなかった。右眼球に影響は残ったらしく、老後になってそれは強くなっているけれど。でも、……。

どんなに不運でも、運は強いのだ。

そしてけして、助けてもらっているばかりではない（まあ別にそれでもいいのだが）。

私はかつて選考委員のひとりとしてぎゃあぎゃあと喚き、優秀な女男の評論家や作家を世に出している。しかし、今私と連帯する人は時に左遷され冷遇されるし、読者は新聞記事が出ないために新刊の存在を長く知らされず（広告もなかったり）、またなかなか本が手に入らなくて困るようである（それはけして女性ばかりではない）。

例えば男社会を生きされないひとびとや、ことにオタク業界にいて生計をたてながらもインセル的な人々からひたすらいじめられている男性などは私の作品を生きるよすがにしている。しかしさすがにこの続編にあたるウラミズモ奴隷選挙の男性懲罰シーン、痴漢をさらし者にする展示室などは怖かったらしい。つまり彼らはその度合いはともかく男性特権を自覚しているのである。

「水晶内制度」を読んで人生が変わったという男性もいる。セックスが嫌いだという男性も実はいる。文学一本槍で読んでくれる男も相当にいる。というか私のヘビーユーザーの一角を占めるのはこの人々である。

そもそも藤枝静男という傑出した私小説作家が私を見いだしてくれなかったら。私のような金毘羅的女性作家が芥川賞を受けることなどなかっただろう。選考中、彼は私を五十代の男性と信じていた。そして彼自身は自分の（けして強くはない）性欲を憎み、刃物でペニスを切ってしまおうとした男である（傷が残り、変形したそうだ）。

評論家も、ブロガーも手紙をくれる読者も本当によく読みつづけてくれた。むろん、女性に関しては言うまでもない。「母の発達」の文庫をお給料で五百冊かって、高校の教え子に配ってくれた女性もいる。

どれほどの女男に助けられてきたか。感謝ばかりである。

ともかくこれは文学なので読み手の性別を選ばずに読めるものである。

## 十三 復刊

四千五百部刷って十年後、倉庫を見たら三部残っていただけというゆっくり売れた本。当時の担当者は、きっと増刷のタイミングがあったはずと今も振り返る。小部数だが愛されて待たれていた復刊である。古本はアマゾンで二千円切ると直ぐ売れていた。図書館払い下げ本のカバーなしや、帯の千切れとヤケヨゴレ有で四千円以上、……。

二〇一三年からは電子書籍化されて一安心だった。しかし紙の本が、新品が欲しいという声がじわじわ聞こえていた。この数年間私は、あっちこっちで復刊してくれ、ばっかり言っていたような気がする。が、……。

「うちの本は男性しか買わないので」と本当は出したい女性から最後は涙声の電話で断られたり（無論その後もずっと仲良くしている）。とどめは「全部書き直したら復刊してあげます」というのもあってこの時はさすがに半日立てなかった。

というわけでアマゾンのプリント・オン・デマンドという手を見つけたのだが、この本に関して折り合わない条件があった。ところが、運が強いというのはまさにこんな時である。つまり……。

今思えばここまでの奇書をいくら前から知っている仲だからといって、たった一晩のメール打ち合わせだけで堂々と、平然と、しずしずと出す版元が最近出来たのだ。

これはフェミニズムの本というよりもただひたすら「バックラッシュの最初」に書かれた平成の文学奇書である。しかし、思えば、このような時代において、刊行が一番似合うのは実はここなのであった。ひとつ、こうして私をつかう以上、出来れば訴訟保険に入っておいて欲しい（社長、ありがとう）。

復刊に際して単語が被っている文章などは整え、説明等で判りやすくもした。けれど、「時代に合わない古い」言い方はほぼ残した。内容は殆ど手入れしていない。当時考えた事を残しておきたいし、なおかつ予言の書と言われる一方、外れている予測も一部にはあるので（女性の社会進出についてだとか、あと日本のロリコンや性暴力がまさか、ここまでこのようにひどくなるとは……）。

## ○取説

ところでここだけはほんの余談である。

実質文学研究者や本物の読者に向けて出している本、そのためにこれを私は書いている。しかしやはり復刊に際して、笙野なんて知らないけど、ともかく「移民したいから読む」という方がいるであろう。すると、……。

難解すぎる？　それではちょっと「特別な読み方」を。

大切な本来の読者の方申し訳ありませんが、ここだけは読まないで（と言っても目皿で読むのかも、まあそれもありがたい）

まず、最初でめげるな。

この本は最初の十四ページまでが、もっとも難解である。現代詩のようである。だって国を飛び越えるシーンなのだから。今まで男女だったものが女男になり、すべてがさかさまとなり、ついには女女になる。なので文学を知らない人、後々は分かってほしいけど、今は分からなくても良い。女人国はここから覗いてみなければ、そのままでは見えない。しかし頭がくらくらしてぶったおれてしまいそうなら。

五十八ページを開けてみてほしい。ここではもう女男が逆転している。女の国である。

一冊の半分はこういう描写である。しかしここから読みはじめてしまうとこの女人国での結婚というかボストンマリッジ制度がどうなっているのか分からない。なのでこの五十八から少し読んでみて気に入ったらその設定を知るために十四ページからの国家アナウンスに戻って理解すれば良い。それなら拾い読みで分かる。その上で気に入れば、五十八ページからずっと読めばよい。しかしそうして読み終ったらどうかまた必ず最初から読んで欲しい。

設定に乗って理解した後、この冒頭をジェットコースターのように（と昔からよく言われます）楽しんでください（無理？）という蛇足である。だって読めない、というの一番不幸だもの。

## 十四　結論

　ともかく、「水晶内制度」が復刊した・この復刊自体が海の上に燃える炎、奇跡と言えよう。

本書は、二〇〇三年七月、
新潮社より単行本として刊行されたものです。
復刊にあたって加筆修正するとともに、
書き下ろし「作者による解説」を追加しました。

初出「新潮」二〇〇三年三月号

笙野頼子

しょうの・よりこ

1956年三重県生まれ。立命館大学法学部卒業。
81年「極楽」で群像新人文学賞受賞。91年『なにもしてない』で野間文芸新人賞、
94年『二百回忌』で三島由紀夫賞、同年『タイムスリップ・コンビナート』で芥川龍之介賞、
2001年『幽界森娘異聞』で泉鏡花文学賞、04年『水晶内制度』でセンス・オブ・ジェンダー大賞、
05年『金毘羅』で伊藤整文学賞、14年『未闘病記―膠原病、「混合性結合組織病」の』で
野間文芸賞をそれぞれ受賞。著作に『ひょうすべの国』『ウラミズモ奴隷選挙』
『会いに行って　静流藤娘紀行』など多数。

2020年8月14日　初版発行

著　者　　笙野頼子

発行者　　松尾亜紀子

発行所　　株式会社エトセトラブックス

151-0053　東京都渋谷区代々木1-38-8-47

TEL：03-6300-0884　FAX：03-6300-0885

https://etcbooks.co.jp/

装幀・装画　鈴木千佳子

ＤＴＰ　　株式会社キャップス

校　正　　株式会社円水社

印刷・製本　モリモト印刷株式会社

Printed in Japan

ISBN 978-4-909910-07-3